O ÓBVIO QUE IGNORAMOS

JACOB J. PÉTRY

O óbvio que Ignoramos

Como simples atitudes podem fazer você obter sucesso em tudo o que realiza

lua de papel

Diretor: Pascoal Soto

Editor: Pedro Almeida

Produção Editorial: Talita Camargo

Revisão: Josélia Aguiar e Marília Chaves

Projeto Gráfico, Capa e Diagramação: Osmane Garcia Filho

Imagem de capa: Artpartner-Images / Getty Images

Imagem de miolo: Tohuku Color Agengy / Getty Images

Dados internacionais de catalogação na publicação (CIP-Brasil)
Ficha catalográfica elaborada por Oficina Miríade, RJ, Brasil.)

P498 Pétry, Jacob J., 1971-
O óbvio que ignoramos: como simples atitudes podem fazer você obter sucesso em tudo o que realiza / Jacob J. Pétry. – São Paulo : Lua de papel, 2010.
227 p.

ISBN 978-85-63066-20-6.

1. Sucesso. 2. Auto-realização. 3. Auto-ajuda – técnicas. I. Título.

CDD 158.1

2010

[Uma editora do grupo Leya]

Av. Angélica, 2163 – conj. 175 / 178
01227-200 – Santa Cecília – São Paulo – SP
www.leya.com/br/luadepapel
Twitter: @luadepapel_BRA / @EditoraLeya

Para Ryan Jolley,
pelos exemplos de fé e amizade.

Para meus pais Maria e Eugen,
pelos exemplos de vida.

SUMÁRIO

CAPÍTULO 1

O segredo por detrás da beleza **11**

O ponto de partida de todas as pessoas que alcançam o sucesso.

CAPÍTULO 2

A Síndrome do Excesso de Oportunidades **31**

Como um grande número de escolhas se torna a causa principal do fracasso.

CAPÍTULO 3

A Lei da Tripla Convergência **51**

Por que há tantas pessoas de sucesso insatisfeitas? Descubra como ter sucesso e felicidade ao mesmo tempo.

CAPÍTULO 4

As três regras da primeira milha **71**

Como uma fórmula simples pode fazer a grande diferença nos momentos mais críticos da vida.

CAPÍTULO 5

A lição de Delfos **97**

Por que diante de situações difíceis algumas pessoas se tornam mais fortes, mais confiantes e mais seguras, enquanto outras simplesmente desabam?

CAPÍTULO 6

O paradoxo da inteligência **117**

Por que pessoas simples conseguem resultados extraordinários enquanto muitos superdotados alcançam resultados medíocres?

CAPÍTULO 7

O poder das convicções **135**

Por que é tão difícil mudar mesmo quando colecionamos erros e como podemos alterar esse quadro?

CAPÍTULO 8

Foco, tempo e o problema do sentido **155**

A importância de manter o foco no gerenciamento de suas energias e não do seu tempo.

CAPÍTULO 9

O efeito Pigmaleão **175**

Como a forma de pensar interfere nos resultados que você busca.

CAPÍTULO 10

Os anos de silêncio **193**

Quando o sacrifício e a dedicação são os fatores mais relevantes para alcançar o sucesso?

Agradecimentos **213**

Notas **217**

Para viver, more perto do chão.
Ao pensar, limite-se ao essencial.
Em conflitos, seja justo e generoso.
Ao governar, não tente controlar.
No trabalho, faça aquilo que gosta.
Em família, esteja sempre presente.

— TAO TE CHING

CAPÍTULO I

O segredo por detrás da beleza

O ponto de partida de todas as pessoas que têm sucesso.

PAULO FRANCIS BATIA COM A MÃO SOBRE A mesa, reclamando com a equipe, no escritório da Rede Globo em Nova York:

— Por que tenho sempre de entrevistar gente aborrecida? Eu quero a "Gisela".

Uma semana depois, o jornalista, então com 65 anos, estava frente a frente com a modelo. O encontro ocorreu no *Circus*, um restaurante de comida brasileira a duas quadras do Central Park.

Gisele chegara havia pouco tempo de São Paulo. Tinha 15 anos e não falava mais que meia dúzia de palavras em inglês. Seu sucesso, na época, era modesto: algumas dezenas de desfiles e apenas duas capas de revista, a *Capricho* e a *Marie Claire*, ambas brasileiras. Francis, dono de um estilo contundente, sarcástico e sempre temido, naquele dia se mostrava surpreendentemente doce.

— Você é menina ou mulher?, perguntou.

Gisele riu. Fez um movimento com seus cabelos loiros.

— Mulher, claro.

Francis se aproximou um pouco mais. Tocou a grossa moldura de seus óculos. Fixou-se nos olhos azuis de Gisele e, quase num sussurro, galanteou:

— E se eu te disser que você é a mulher mais bonita do mundo?

Gisele riu outra vez. Disfarçou. Decerto, não sabia o que dizer.

Francis não viu sua musa subir ao topo, por causa de um infarto fatal, no ano seguinte. Gisele foi muito além do que ele podia imaginar. Ela conquistou o título de mais bonita do mundo. Tornou-se multimilionária. É considerada também uma das cem mais influentes do mundo. E tudo em menos de uma década.

O que havia na então pouco conhecida Gisele que Francis, observador arguto, notou imediatamente?

O ENIGMA DE TAMAYO

Upper West Side é um bairro que fica no lado oeste da ilha de Manhattan, acima da Rua 59, entre o Central Park e o rio Hudson. O local transpira tranquilidade. Conhecido como um dos dez lugares residenciais mais caros dos Estados Unidos tem essa fama por hospedar a classe cultural e artística de Nova York.

Elizabeth Gibson é uma escritora que mora na Rua 72. É alta, loira, de estilo elegante. Numa manhã de sábado, em março de 2003, saiu em direção à Broadway, a poucos blocos de onde mora. Como fazia todas as manhãs, ia tomar café num charmoso Starbucks. Quando chegou à esquina da sua rua, em frente ao prédio residencial Alexandria, viu uma tela enorme abandonada entre dois sacos de lixo. A pintura era quase inteiramente abstrata. Distinguiam-se, porém, um homem, uma mulher e uma figura andrógina, num misto vibrante de púrpura, laranja e amarelo, com uma delicada cobertura de areia. Elizabeth parou por um instante, observou a obra, intrigada, e seguiu seu caminho.

Enquanto tomava café, não conseguia tirar o pensamento da tela. Algo a impelia a voltar ao local e fazer uma segunda avaliação. "Aquela pintura tinha algo muito poderoso", ela contou, mais tarde. Ainda tentou se convencer do contrário: o quadro era muito grande, não caberia no apartamento; e a moldura destoava, de tão barata. Ainda hesitante, acelerou o passo no percurso de volta. Temia já não mais encontrar seu achado. Por sorte, ainda estava lá. A segunda impressão foi ainda maior, e Elizabeth levou a tela consigo.

Em casa, arrumou um lugar na parede da sala de visitas. Na manhã seguinte, ao passar pelo Alexandria, abordou o porteiro. Perguntou-lhe se ele, por acaso, não vira alguém depositar uma tela no lixo no dia anterior. Insistiu com alguns moradores que saíam do prédio. Ninguém sabia de nada. A situação toda a perturbava. Telefonou para um amigo que trabalhava numa casa de leilões. Contou-lhe sobre o quadro. "Ele me perguntou se a pintura tinha uma assinatura", ela lembra. "Disse que havia, sim, um nome rabiscado no canto superior direito, mas tudo que eu conseguia entender era *Tamayo 0-70*". Acreditou, por segundos, que talvez descobrisse algo sobre a obra. "Mas ele não se interessou por aquele mistério tanto quanto eu. E desligou, dizendo que me procuraria caso descobrisse alguma coisa", relembrou Elizabeth.

Meses depois, quando mudava a tela de lugar, deu-se conta de que havia carimbos no verso. Um era do Museu de Artes Modernas *de La Ville*, de Paris. Outro, da Perls Gallery, uma antiga casa de artes de Manhattan que havia fechado em 1996. E um terceiro, da Galeria Richard Feigen, também de Manhattan. "Cada vez mais me convencia de que a pintura era valiosa", explicou. Telefonou, então, para a Richard Feigen. O enigma persistia: não havia por lá registro algum da tela.

Passado quase um ano, Elizabeth, ainda intrigada, contou do quadro encontrado no lixo a um estudante de artes que conheceu por acaso. Dias depois, ele lhe apareceu com um catálogo do qual constava uma pintura de um mexicano chamado Rufino Tamayo vendida por US$ 500 mil. "Fui até a biblioteca da universidade onde o rapaz estudava, e lá encontrei uma pilha de livros sobre Tamayo", ela lembrou. Um deles tinha na capa nada menos que a pintura encontrada no lixo. Agora, que ela sabia que pintor e obra eram famosos, uma nova pergunta não a deixaria dormir: seria a tela original? Elizabeth achou melhor não deixar mais a obra exposta. Com a ajuda de uma amiga, removeu a parte dos fundos do seu *closet* e criou uma parede falsa. Com cuidado, envolveu o quadro em cortinas velhas e escondeu-o ali. Decidiu não falar mais publicamente sobre isso.

Tempos depois, leu que uma rede de televisão do Estado de Maryland iria retransmitir um documentário sobre obras-primas desaparecidas, incluindo uma obra de Tamayo. Elizabeth não teve dúvida de que ali estaria a informação que tanto procurava. Mas havia um problema: a emissora cobria a região de Baltimore, em Maryland, e Elizabeth estava em Nova York. Decidida a não perder a oportunidade, certificou-se de que chegaria a tempo, tomou o primeiro ônibus e foi para Baltimore. Entrou no hotel em cima da hora. No quarto, largou a bolsa sobre a cama. Começava, enfim, o programa que esclareceria o mistério que para ela já contava quatro anos: *Tres personajens*, a pintura original de Rufino Tamayo, foi roubada de um casal em Houston, no Texas, duas décadas antes. Objeto de investigação do FBI tinha valor estimado em US$ 1 milhão. Assim que retornou a Nova York, Elizabeth agendou uma reunião com August Uribes, diretor da *Southeby's*, famosa casa de leilões, entrevistado pelo programa. Ao chegar à casa dela, Uribes imediatamente reconheceu a tela: era de fato a original.

O que fez Elizabeth, que nunca entendeu muito de arte, intuir desde o primeiro dia que o quadro encontrado no lixo era valioso? Por que, durante tanto tempo, fez o possível para desvendar um mistério que sabia existir? De onde vinha o poder que tanto intrigou Elizabeth? Que segredo, afinal, se esconde por detrás da beleza?

O PODER DO DISCURSO SIMPLES

Em julho de 2004, o Partido Democrata americano realizava sua convenção nacional, quando um jovem político de 43 anos subiu ao palco. Seu nome: Barack Hussein Obama. Até ser escolhido para fazer o pronunciamento naquela convenção, Obama era praticamente um desconhecido no meio político americano. Sua área de atuação se restringia ao Estado de Illinóis, onde, em 1996, havia sido eleito membro do legislativo local. Fora isso, atuara como líder comunitário, advogado e professor de direito constitucional na Universidade de Chicago. Em 2000, tentou eleger-se para o Congresso Americano e não conseguiu. Apesar desse fracasso, três anos depois, anunciou sua candidatura ao Senado. Obama venceu as primárias do partido mesmo enfrentando uma luta desigual contra políticos tradicionais. A vitória fez com que o escolhessem o orador de honra na Convenção Nacional. Era tudo o que Obama precisava. Ao final de 15 minutos, se tornaria um ídolo nacional. Seu pronunciamento entrou para a história como "O Discurso".

Enquanto falava, Obama retirou as pessoas de onde elas estavam e as transportou para os diversos lugares que marcaram sua longa trajetória familiar. Fez com elas um passeio pelas vilas pobres do Quênia, onde seu pai havia nascido. Depois, trouxe-as para as fazendas do Kansas, terra natal de sua mãe. Em seguida, levou-as, com seu avô, ao Havaí. Depois, seu percurso subiu até Harvard, onde se graduou, e logo desceu outra vez para os lugares mais pobres de Illinóis, onde, mesmo com um diploma de primeira linha, prestou serviços comunitários por anos. Partindo de diferenças, Obama criou semelhanças. Ele uniu cores, nações, raças, crenças e posições sociais. "Num país como a América, o nome não deve ser problema para uma pessoa alcançar o sucesso", disse, para justificar seu nome incomum, desassociando-o de inimigos como Sadam Hussein e Osama Bin Laden.

No final do discurso, quando ele disse a última frase, havia transformado sua história pessoal na história de cada americano. Seu discurso franco cativou o coração de milhões de pessoas.

Provavelmente, você já presenciou um momento como esse. Um professor, um palestrante, um líder empresarial sobe ao palco e encanta com a mesma elegância simples, porém mágica, de Obama. É a mesma sedução de um quadro valioso como o de Tamayo e de uma jovem modelo prestes a se tornar a maior do mundo. São exemplos do misterioso fascínio que algumas pessoas ou objetos exercem sobre nós. De onde vem esse poder? Que segredo se esconde por detrás de tão diferentes formas de beleza?

Deparei-me com esse mesmo fenômeno no verão de 2006, ao visitar o Museu Nacional Centro de Arte Reina Sofia, em Madri. Ansioso, avançava pelas galerias do museu, quase sem reparar nas outras obras que encontrava. Queria realizar um sonho de infância: ver *Guernica*, a famosa pintura de Pablo Picasso, uma das mais conhecidas no mundo. Pintada em 1937, retrata o bombardeio da vila de Guernica, ocorrido durante a Guerra Civil Espanhola. Trata-se de uma imensa tela de três metros e meio de altura com quase oito de largura. As imagens, em preto e branco com leves tons azulados, à primeira vista são confusas, indefinidas e quase incompreensíveis.

Ao avistar o quadro, a primeira impressão nada teve de espetacular. "O que há de especial nisso?", eu me perguntei. E a primeira resposta que se pode dar é: nada, pelo menos aparentemente. Não é o que se pode considerar um quadro "belo", pois ali está todo o horror representado. Decidi, então, explorar a pintura com mais cuidado. Logo o encanto se revelou. As cenas que compõem a obra, de morte, violência, brutalidade, sofrimento e súplica, finalmente me tocaram.

O que via, então, não era mais a Guernica representada por Picasso, mas algo bem mais poderoso. Senti fluir da pintura um sentimento de dor, de agonia, de compaixão. Da tragédia ocorrida na Espanha, o quadro me levou aos mais distintos cenários de violência e sofrimento humano, do Iraque ao Afeganistão, de Ruanda às favelas do Brasil, das dores do mundo às minhas próprias.

Deixei o museu intrigado. A excepcionalidade de *Guernica* não está propriamente em seus traços, mas flui por eles. Existe uma beleza que ultrapassa o que vemos na tela.

GISELE E O CONCEITO DE BELEZA

Pense na seguinte questão: Gisele Bündchen é, realmente, a mulher mais bonita do mundo? Claro que não. Ela é uma mulher linda, isso é inquestionável. Porém, qualquer um concorda que, se saíssemos por aí com o objetivo de encontrar mulheres bonitas, podíamos encontrar algumas mais. Até a própria Gisele não se considera assim tão bonita. "Eu pensava que era a pessoa mais estranha que já andou na face da terra", ela disse, certa vez, referindo-se a sua adolescência. No colégio, era chamada de Olívia Palito e Saracura. No início da carreira, era recusada constantemente. Diziam que seu jeito de andar era esquisito. E tinha um nariz muito grande, razão pela qual, segundo os especialistas em moda, ela jamais conseguiria fazer uma capa de revista. Ainda hoje, ela mesma pensa que seu nariz não é o ideal. Antes da fama, também implicava com seu cabelo. Como qualquer adolescente comum, vivia fazendo escova e inventando cortes.

Se é assim, o que Paulo Francis, e depois o planeta inteiro, viu em Gisele a ponto de concluir que ela é a mulher mais bonita do mundo? Como ela conseguiu passar essa impressão? Mais especificamente: qual é o segredo por detrás da beleza de Gisele Bündchen?

Para responder a essa questão, temos de voltar ao item anterior, quando disse que, ao deixar o Centro de Arte Reina Sofia, em Madri, tive a impressão de que a excepcionalidade de *Guernica* não está propriamente em seus traços, mas flui por eles. Pois a mesma certeza me acompanha quando vejo o desempenho de pessoas como Gisele, Obama e tantos outros. Se, no caso de Gisele, essa força não é, como somos levados a pensar, a beleza física, que força é essa?

Vamos analisar o que alguns profissionais que cercam Gisele dizem sobre ela. "Gisele é a expressão máxima da vocação para o que faz", afirma o fotógrafo brasileiro Bob Wolfenson, que trabalha com a modelo desde que ela estreou aos quatorze anos. No início da carreira, num dos primeiros ensaios que Gisele fez, Wolfenson disse a ela: "chora". E Gisele chorou. "Ela é um gênio na passarela e na frente das câmeras", elogia Wolfenson, e completa: "Há uma palavra-chave que define seu potencial: autocontrole". Steven Meisel, um dos fotógrafos internacionais mais reconhecidos do mundo da moda, afirma a mesma coisa: "Gisele é uma camaleoa e uma boa atriz", argumenta. "Ser atriz faz parte do ofício de modelo", explica. "Ela é capaz de encarnar uma série de emoções distintas com uma facilidade incomum". A opinião de Meisel e Wolfenson é reforçada pela estilista Donatella Versace. "Seu estilo infunde vida à roupa, tornando-a expressiva e sexy", revela.

O interessante nesses três depoimentos é que nenhum faz referência à beleza física de Gisele. O que Meisel, Wolfenson e Donatella exaltam é a habilidade, o talento que ela possui para encarnar diferentes papéis, expressar emoções, de uma maneira genuína, ao se apresentar na passarela ou em frente às câmeras. Não é apenas sua beleza física, mas como ela faz o que faz que a diferencia. Essa parece ser a chave do mistério de todas as histórias de sucesso. Assim como a pintura de Picasso, o discurso de Obama e o quadro de Tamayo, a beleza de Gisele é o resultado de uma força que flui por ela, o seu talento natural aprimorado à perfeição. Paulo Francis, ao afirmar que Gisele era a mulher mais bonita do mundo, foi sutil o bastante para perceber isso.

Em outras palavras: o que admiramos quando Gisele entra na passarela, ou quando ela posa para um fotógrafo, não é puramente a harmonia dos seus traços e sua forma física, embora sejamos muitas vezes iludidos por isso. O que nos encanta, na verdade, é o seu talento. "No começo eu não tinha ideia do que era ser modelo", ela confessa. "Eu não sabia que quando se está no palco, ou em frente às câmeras, atuando como modelo, você precisa se tornar outra pessoa, incorporar uma personagem", revela. O que Gisele chama de "incorporar uma personagem" é nada mais do que dar vazão ao talento. Ao longo da carreira, ela foi aprimorando esse talento a ponto de atingir a perfeição.

Isso nos ensina duas lições fundamentais para compreender o sucesso. A primeira lição nos diz que o segredo que está por detrás de toda beleza é a manifestação natural de um talento genuíno, desenvolvido até atingir praticamente os limites da perfeição. Tire, por exemplo, o talento para a oratória de Barack Obama; o jeito singular de desfilar ou a virtude fotogênica de Gisele, e eles serão mais uma pessoa com a qual esbarramos pela rua sem despertar nossa atenção. A segunda lição deriva da primeira e é muito mais simples, porém conclusiva: se você negligenciar seu talento, estará negligenciando sua força maior.

DESCOBRINDO OS PONTOS FORTES

Valdir Bündchen, pai de Gisele, é um homem próximo dos 60 anos. Ele é alegre, comunicativo, de uma energia bastante incomum. Fala rápido, com inúmeras pausas e inflexões de voz. Seu currículo é amplo e eclético, mas, acima de tudo, é um especialista em treinamento pessoal. Na década de 90, iniciou um fascinante trabalho que chamou de *Estudo de Perfil Pessoal*. Valdir aplica esse estudo em empresas que assessora. O objetivo é descobrir o talento de cada membro da equipe e investir nele. "Uma vez descoberta a habilidade de cada integrante de um time, a empresa é estimulada a oferecer condições para que essa pessoa passe a atuar na área onde suas atribuições contribuam para desenvolver seu potencial", ele explica.

Ele acredita tanto nessa ideia, que, à medida que cada uma de suas filhas completava quatorze anos, usava o *Estudo de Perfil Pessoal* para descobrir suas habilidades. Como passo seguinte, sugeria que investissem numa área que desenvolvesse esse potencial. "Essa é uma ideia muito simples. Não existe nada de novo e de misterioso nisso, mas quando aplicado, cria resultados espantosos", garante. E ele explica por quê: "Construir sobre o talento faz com que as pessoas despertem a curiosidade e a paixão que trazem dentro de si, e não há fonte de energia maior do que essa". Segundo Valdir, tudo que precisamos é descobrir onde está a nossa paixão e curiosidade e atuar nesta área. Essa parece ser uma questão muito óbvia. O problema está no fato de que o que acontece no nosso dia-a-dia é exatamente o contrário. Nós somos levados a ignorar nosso talento.

Suponha, por exemplo, que você tenha uma facilidade enorme para aprender matemática, mas que, em gramática, suas notas são um desastre. As lições de matemática você já concluiu ali mesmo, enquanto o professor repete algum ponto que um colega não compreendeu. Você se sente desafiado pela matemática, ela lhe estimula. Olha para seus colegas e se pergunta: "como conseguem complicar tanto algo tão simples?" Em gramática, entretanto, é o contrário: falta ânimo, falta curiosidade, o conteúdo é chato, regras gramaticais não lhe despertam o mínimo interesse. O livro de matemática está todo rabiscado com exemplos e anotações. O livro de gramática está intacto, como novo.

O que geralmente acontece nesses casos? Você é obrigado a participar de aulas de reforço em gramática. Certo? Os pais lhe mandam estudar gramática. O conselheiro do colégio o chama em sua sala e o aconselha a estudar gramática. O professor de gramática... Bem, você já não aguenta mais ouvir falar em gramática! Paciência. Porque, mesmo assim, no final do ano, você ainda terá um mês de reforço: em gramática. Com isso, não estou dizendo que você não deva estudar gramática, ou no caso inverso, matemática. Cada uma dessas disciplinas é fundamental para um excelente desempenho na vida. O problema é que, seguindo o exemplo acima, em todas as circunstâncias a pauta é a gramática, ou seja, o seu ponto fraco. Desde muito cedo, você é forçado a se concentrar nos seus pontos fracos, e não em suas habilidades. Seu talento sempre fica em segundo plano. Você é orientado a investir tempo e energia na tarefa ingrata de reforçar suas fraquezas, achando que desse modo atingirá a excelência. Pesquisas revelam que alunos com bom desempenho escolar nem sempre atingem sucesso profissional. Como poderiam? Os gênios da matemática são forçados a decorar conjugações de verbos e regras de sintaxe durante anos. Os gênios da gramática são forçados a memorizar fórmulas. Resultado: elevamos nossos pontos fracos e reduzimos nossos pontos fortes, e em geral, atingimos apenas a média.

Valdir Bündchen fez exatamente o contrário com sua família. Mais do que ninguém, ele é um investidor no talento pessoal. Desde muito cedo, estimulou suas filhas a descobrirem seus pontos fortes e lhes deu estímulo para desenvolvê-los. Quando, por exemplo, alguém percebeu o potencial de Gisele, ela tinha apenas treze anos, mas, mesmo assim, Valdir imediatamente passou a investir neste talento, criando um processo de acompanhamento que desse à filha a liberdade de fazer escolhas que a conduzissem na direção de seu propósito. Quando Gisele passou a se interessar pela carreira de modelo, apesar da tenra idade, estava claro que ela tinha talento, porque já havia participado de vários concursos e se mostrava apaixonada pelo que fazia. Foi aí que vieram os problemas.

Seguir a carreira de modelo significava deixar a casa dos pais, correr riscos, dedicar-se quase exclusivamente à tarefa, sacrificando outras prioridades, inclusive, uma educação formal. "Gisele sempre foi muito determinada e tinha claro o que fazer", diz Valdir. "Não devemos dizer aos filhos o que fazer. Nossa missão é passar valores e ensinamentos aprendidos ao longo da vida, sem jamais impor qualquer ideia. Você apenas pode sinalizar o que pode ser feito", ele explica. Com as outras cinco filhas, ele repetiu o mesmo processo. Cada uma foi estimulada a seguir especificamente seu talento. Hoje, juntas, elas formam um time profissional que se completa nas suas diferenças, e, por isso, podem pensar em resultados diferenciados, de alto grau de desempenho. "Cada pessoa tem o seu talento", explica Patrícia, a irmã-gêmea de Gisele, que desenvolveu o seu na área de relações públicas.

Valdir Bündchen tem um jeito próprio para explicar sua tese. "Se duas pessoas disputam salto em altura e uma toma impulso da areia, enquanto a outra de um piso de concreto, quem terá o melhor impulso e, consequentemente, pulará mais alto?", ele perguntou, numa de nossas inúmeras conversas. "A pessoa que está no piso de concreto, é claro", respondi. "Bem, o talento é o piso de concreto. E é o que lhe dará a segurança de tomar um impulso extraordinário", ele explicou. Com isso, o que Valdir quer dizer é que se você não atua sobre a área de seu talento, não há segurança, e, sem segurança, você não terá a confiança necessária para assumir riscos e fazer os investimentos necessários para ter sucesso e felicidade.

O EQUÍVOCO DAS IRMÃS POLGAR

Tudo isso parece muito óbvio. Todos temos consciência de que o talento é a base de tudo. O que acontece na vida, no entanto, parece ser exatamente o contrário. Ignoramos o talento e acreditamos que escolher uma profissão rentável e ter boa formação nessa área são o mais importante. Mas isso não é o mais importante. Um bom exemplo do quanto o talento é fundamental para quem busca o sucesso e a satisfação na vida pode ser visto na obra do psicólogo e pedagogo húngaro Laszlo Polgar. Durante a década de 60, Polgar estudou a biografia de centenas de grandes intelectuais e concluiu ter encontrado um padrão comum: todos haviam recebido uma intensa especialização em uma determinada área, desde tenra idade. A partir dessa constatação, Laszlo se convenceu de que a genialidade era produto exclusivo da educação e da prática. E mais: ele responsabilizou o sistema de ensino público por produzir mentes medíocres. Em contrapartida, estava convencido de que, ele mesmo, poderia tornar qualquer criança sadia em um gênio e na área em que ele bem quisesse.

Ainda jovem, Polgar escreveu um livro intitulado *Criando gênios*, no qual explica o método que o habilitaria a desenvolver a genialidade em qualquer criança. Mas a história de Polgar realmente se tornou interessante quando ele, para provar sua teoria, procurou publicamente uma mulher interessada em engajar-se no projeto. Pelos jornais, Laszlo buscou alguém que se propusesse a casar com ele, ter filhos e o auxiliar na realização da experiência: transformar os filhos em gênios. A ideia, que correu o mundo, impressionou Klara, uma professora da Ucrânia, que aceitou a proposta. Os dois se casaram. Em 1969, nasceu Suzan, a primeira filha do casal. Quando Suzan completou quatro anos, o casal Polgar iniciou a experiência. Decidiram que a atividade perfeita para desenvolver a futura genialidade da filha seria o xadrez. Polgar justificou a opção dizendo que o xadrez, além de ser uma arte, poderia também ser considerado uma ciência. Como os esportes competitivos, oferecia uma facilidade na demonstração de resultados práticos. Em 1974, nasceu a segunda filha do casal: Sofia. Menos de dois depois, nasceu a terceira: Judit. Ambas foram incluídas no programa. Muito antes de aprenderem a falar e caminhar, Sofia e Judit já eram colocadas à frente do tabuleiro, onde Laszlo treinava Suzan durante a maior parte do dia.

Como Laszlo acreditava que a escola tradicional era perda de tempo, solicitou autorização do governo húngaro para educar as filhas em casa. Ele e Klara intercalavam as longas horas de prática de xadrez com aulas de línguas e matemática avançada. A educação era rígida e ocupava praticamente todo o dia, sacrificando, inclusive, as horas de lazer e de socialização em prol da agenda definida pelo pai das meninas. Suzan, por exemplo, cedo na adolescência já falava fluentemente sete línguas. "Meu pai acreditava que era preciso aproveitar o tempo durante a infância, ao invés de desperdiçá-lo brincando ou assistindo TV", ela explicou, mais tarde. "Ele defendia a ideia de que o talento inato é nada. Que sucesso é 99% o resultado de trabalho duro", disse Suzan. "E eu concordo com ele", completou. Ao longo de toda infância e na maior parte da adolescência, as irmãs Polgar respiravam xadrez. Centenas de livros sobre o assunto ocupavam as prateleiras da casa. O sistema de arquivos montado por Laszlo cobria uma parede inteira, incluindo descrições detalhadas de jogos, técnicas e dados sobre os potenciais oponentes das filhas. Até mesmo a decoração da casa era composta por enormes quadros que retratavam lances e jogadas dos grandes campeões de xadrez de todos os tempos.

Qual o resultado de todo esse esforço? Com tamanha disciplina, prática e dedicação no aprendizado de técnicas, é lógico que as irmãs Polgar obteriam um sucesso considerável. Mas será que elas realmente chegaram ao topo e, especificamente, permaneceram nele? Aos dezessete anos, Suzan se tornou a primeira mulher a se qualificar para o que na época se chamava Campeonato Mundial Masculino. Mas, justamente pelo campeonato ser masculino, ela não pode participar. Em 1988, as três irmãs competiram, como equipe, na Olimpíada Feminina e obtiveram a primeira vitória da Hungria contra os soviéticos. Todas tiveram conquistas consideráveis. Das três, porém, Judit, a mais nova, subiu mais alto. No entanto, nenhuma delas chegou a vencer o campeonato mundial, o que seria o nível mais elevado. E o mais frustrante: quando elas completaram vinte anos, idade em que a maioria dos enxadristas ainda luta por seu lugar no topo, as irmãs Polgar decidiram desistir do projeto de seu pai, afirmando que "havia mais coisas na vida além do xadrez".

Ao longo dos anos, a história das irmãs Polgar foi amplamente usada por teóricos que tentaram provar que o talento é irrelevante. Mas se analisarmos a experiência de Laszlo de uma maneira mais profunda, veremos que a análise desses teóricos é vaga e incompleta. Vejamos por quê: o xadrez exige três ações do cérebro. Para se tornar um bom jogador, o cérebro, primeiro, precisa compreender as regras, ou seja: o que cada peça pode fazer dentro dos limites estabelecidos. Depois, ele precisa visualizar eventuais jogadas; e, por último, analisar qual jogada é a mais vantajosa. Esses três fatores podem ser desenvolvidos até certo ponto, é claro, sem a necessidade de talento. Ao propor a experiência, Laszlo acreditou que o desempenho no xadrez não apenas traria reconhecimento às filhas, mas que também as faria feliz. Mas não foi bem isso que aconteceu. Afinal, foi a busca pela felicidade que as fez desistirem do xadrez. A história das irmãs Polgar ilustra o motivo pelo qual tantas pessoas se tornam boas em função do que Laszlo chamou de "uma intensa especialização em uma determinada área", mas, entretanto, nunca atingem a excelência. Para atingir a excelência, é preciso desenvolver uma intensa especialização na área onde está nosso talento natural.

Para nosso estudo, há duas lições básicas que podemos extrair da experiência de Laszlo. A primeira reafirma tudo o que falamos até aqui. Ou seja, é virtualmente impossível criar um desempenho notável alcançando os limites da perfeição, como os de Gisele, Tamayo, Obama, Picasso, apenas com conhecimento e aprendizado de técnicas. Em outras palavras, o talento das pessoas não pode ser construído com técnica e conhecimento. A teoria de que cada um pode ser o que bem quiser, bastando para isso adquirir o conhecimento e a disciplina necessária para aplicá-lo, é falsa.

A segunda lição é a que a disciplina, a técnica e o conhecimento tornam as pessoas melhores em qualquer área, mas nada compensa a falta de talento. "Eu queria sempre ser campeã mundial. Mas agora sei que isso nunca acontecerá", disse Suzan. "Está ok ter sido bom, ou muito bom. Não há motivos para ser a melhor", ela se entrega, logo a seguir, em consolo. O risco de investir uma vida inteira em treinamento repetitivo sem que tenha o talento como base é justamente o fato de ficarmos saturados antes de obter os resultados que desejamos. Melhorar em alguma atividade requer persistência. Para resistir à tentação de relaxar, precisamos de combustível, ou seja, ter paixão e curiosidade pela atividade que desenvolvemos. A seguir, vamos compreender melhor por que isso acontece. E um bom começo é definir o que é o talento.

DEFININDO TALENTO

Todos temos uma ideia do que é uma pessoa talentosa. Obama é um político talentoso. Gisele tem talento no que faz. O talento sempre é fácil de reconhecer. O problema surge quando somos questionados sobre a origem do talento. Como ele se forma? Ele é privilégio de poucos, ou está em todos nós? É espantoso que, embora o talento seja a base da nossa vida, a maioria de nós não tem a mínima noção de como ele se forma e o que, na verdade, ele é.

O que é um talento? Os conceitos divergem, mas, na essência, todos dizem a mesma coisa. Talento é uma aptidão natural que possuímos para fazer alguma coisa com uma naturalidade superior à maior parte das outras pessoas. Tente lembrar quando você recebeu seu primeiro brinquedo, seja lá o que tenha sido: um caminhão de bombeiro, uma boneca, um kit médico ou um capacete de astronauta. Você dizia para todo mundo que, quando crescesse, seria um bombeiro, um estilista, um astronauta ou um médico. Essa paixão inocente por uma determinada profissão, sem se preocupar ou saber o respectivo salário, o status social e o que seria necessário para alcançá-la, é um forte indício de onde está seu talento. É esse sentimento infantil de "eu quero fazer isso porque quero", sem precisar explicar o motivo, que precisamos redescobrir. Em outras palavras, descobrir nosso talento é deixar nosso brinquedo interior revelar-se. Todos nós temos um, e quando você descobrir o seu, vai reconhecê-lo imediatamente. Talento é exatamente esse brinquedo interior.

Como o talento se origina e se manifesta em nós? Essa aptidão natural depende, pelo menos em grande parte, da formação das interconexões entre os neurônios, no nosso cérebro. A formação dessas interconexões ocorre quase na sua totalidade ainda durante os primeiros anos da infância, razão pela qual não será mais possível, depois de certa idade, alterar a configuração dessas conexões, pelo menos de maneira radical e, por consequência, alterar nosso talento, ou mesmo desenvolver um talento novo. Isso explica por que nossos talentos são inatos, vitalícios e insubstituíveis. Por essa razão, se você descobre que possui uma aptidão para a matemática, por exemplo, por mais gramática que estude, nunca atingirá a facilidade para aprender gramática como possui para aprender matemática.

O mistério desse processo está nas chamadas sinapses que ocorrem ao longo da infância. Uma sinapse é a conexão entre células cerebrais, chamadas neurônios. Cada neurônio se comunica com milhares de outros neurônios. As interconexões que ocorrem entre os neurônios, na medida em que recebem estímulos, se fortalecem, criando espirais padrões, que se formam em torno desses neurônios. Nosso talento, em grande parte, é definido pelas informações transmitidas por meio dessas espirais padrões. "O cérebro de uma criança produz trilhões de sinapses a mais do que o cérebro de um adulto", escreve John T. Bruer, especialista em filosofia e neurociências. As espirais estimuladas se desenvolvem. As que são ignoradas definham ou são completamente eliminadas. Como um escultor que talha a madeira, dando forma a sua escultura, os processos de estímulo captados pelo cérebro moldam nossas aptidões.

Mas esse processo tem pouco ou nada a ver com inteligência. De acordo com Bruer, nossa inteligência depende muito mais do quanto usamos e estimulamos as nossas conexões mais fortes. Uma vez que a configuração da nossa rede mental é definida, o cérebro passa a operar melhor nos campos onde as conexões se estabeleceram com maior intensidade. Por isso, nesses campos, aprender se torna fácil. Neles estão nossos espirais padrões mais fortes. É também onde está nosso talento. Por tudo isso, é possível dizer que o talento é um efeito da combinação entre herança genética e experiências durante os primeiros anos da infância. Juntos, genes e estímulo formam as habilidades.

De acordo com Bruer, não há risco de ficarmos para trás por não termos recebido os estímulos cognitivos adequados durante a infância. Ele argumenta que, embora genes e estímulo tenham papel importante na formação cognitiva, a ideia de provocar "o estímulo certo" ou de ser vítima de uma "ausência de estímulo" é muito mais um mito do que uma realidade. A formação dos padrões comportamentais ocorre em estágios conhecidos como períodos críticos, que são janelas ao longo do desenvolvimento do nosso cérebro. O que dificulta a tentativa de fazer um estímulo voluntário numa criança, de acordo com Bruer, é o fato de não sabermos qual o momento, ao longo do desenvolvimento cerebral, em que essas janelas se abrem. "O cérebro se alimenta de estímulos que acontecem a toda hora, em qualquer lugar, de forma singular, fugindo absolutamente de qualquer controle externo", conclui Bruer. Por isso, uma criança que nasce rodeada de psicólogos encarregados de provocar estímulos com o objetivo de torná-la um gênio não tem nenhuma vantagem sobre a outra, que passa seus dias com uma babá que não possui especialização alguma.

Vamos fazer um pequeno exercício para compreender a relação do talento com as nossas configurações cerebrais. Imagine que suas conexões sinápticas sejam um sinal de internet sem fio. O sinal mais forte, a conexão 1, possibilita o acesso instantâneo. Você consegue desenvolver sua pesquisa de forma muito ágil e eficiente. O sinal seguinte, a conexão 2, é um pouco mais fraco. Você consegue acessar a internet, mas a velocidade da conexão não é ágil como a conexão 1. O terceiro sinal já é bem mais fraco, você ainda consegue acessar a internet, mas demora em abrir a página inicial do seu provedor. A pesquisa é mais lenta, a eficiência e a agilidade estão comprometidas. E assim, quanto mais você se afasta da conexão principal, mais o sinal se enfraquece e os resultados serão cada vez mais comprometidos. O serviço fica mais lento. Até que, em certo ponto, não há mais conexão alguma, e o acesso se torna impossível. O mesmo ocorre com a estrutura do seu cérebro.

Você tem os espirais padrões mais fortes. É ali que está o seu talento principal. Na medida em que suas funções se distanciam dessas espirais padrões principais, seu desempenho vai se comprometendo. Por isso, em certas áreas, você consegue desenvolver certas atividades brincando, enquanto noutras a dificuldade é tão grande que simplesmente o tira do sério. A linha 1 é o seu brinquedo interior, onde queima a chama da paixão, e onde o talento pode fluir facilmente. Se a aptidão para a matemática é sua linha 1, por exemplo, física, pode ser sua linha 2. Química, a linha 3. História ou gramática, nesse caso, seriam linhas com sinais bem mais fracos.

Tudo isso nos leva a uma conclusão bem simples. Se você tentar desenvolver os campos onde seu sinal é fraco, como história ou gramática, terá sérias dificuldades. Não terá entusiasmo pelo que estiver fazendo. E sem entusiasmo, a realização estará comprometida. Não há como incendiar o fogo da paixão nos outros se ele não queima em você — artistas como Tamayo e Picasso usaram seu talento colossal para realizar obras que nos causam impressão proporcional à paixão que possuíam pela pintura.

Pense, por um momento, na sua infância, ou mesmo na sua adolescência. Tente relembrar aquilo em que você era realmente considerado *um talento*. Agora, suponha que, desde tenra idade, você tenha investido todo tempo e esforço exclusivamente nesse talento. Suponha que, ao longo de toda sua vida, desde a mais tenra infância, todo seu treinamento, educação, prática e conhecimento tivessem sido direcionados com o foco específico de desenvolver esse potencial. Como você estaria agora?

Entretanto, o que aconteceu com esse talento? Se você é como a maioria das pessoas, o ignorou por completo. Por que isso acontece? Nós temos uma dificuldade de nos convencer de que temos uma habilidade especial. Parece que é possível ver essa habilidade em todos, menos em nós mesmos.

Tente, por exemplo, ver as coisas do ponto de vista de Gisele Bündchen. Suponha que você tem certo tipo incomum de beleza. Todo mundo comenta isso e você se sente motivado. Mas aí você olha a sua volta e vê tanta gente bonita, com corpo perfeito. Agora suponha que, além da beleza, alguém lhe diga que você tem um talento especial. "Mas que talento?", você se pergunta. "Desfilar? Fazer pose para fotógrafos? Uma coisa tão simples, tão corriqueira, tão trivial. Quem não sabe fazer isso?", você pensa. Por que você acreditaria ser capaz de ganhar dinheiro fazendo isso?

Por mais trivial que isso possa parecer, esse é um dos maiores motivos pelos quais a grande parte de nós vive uma vida profissional entediada, medíocre, longe do nosso potencial. Essa tendência de ignorar nosso talento tem sua origem na própria singularidade. Por atuarmos com incrível facilidade nas áreas onde está nosso talento, ignoramos nossa excepcionalidade, pensamos que todo mundo é capaz de fazer a mesma coisa sem esforço. Mas isso não é verdade. Aquilo que você faz com excepcional facilidade é extremamente complicado para mim. E é exatamente isso que faz com que investir no nosso potencial seja tão difícil: simplesmente não nos reconhecemos como especiais.

SÍNTESE

Vimos, até aqui, que o primeiro passo para o sucesso é identificar nosso talento e depois construir nossa vida sobre ele. Vimos que o princípio vital que distingue as pessoas que atingem desempenho excepcional daquelas que fracassam é que as primeiras descobrem seu talento e o desenvolvem ao longo da vida. O tipo de habilidade que importa mais explorar é sempre naquela exata área pela qual temos paixão. Esse é o fundamento de toda a vida vivida com plenitude, porque o impulso natural da vida é desenvolver seu potencial ao máximo, ou seja, estender seus limites até encontrar uma realização plena. Se você negligenciar seu talento, omite seu potencial e, como consequência, está impedindo a expansão da vida. Por isso, ela se tornará, inevitavelmente, um fardo.

CAPÍTULO 2

A Síndrome do Excesso de Oportunidades

Como um grande número de escolhas se torna a causa principal do fracasso.

NO INÍCIO DE 1942, AUTORIDADES AUSTRÍACAS em Viena prenderam centenas de judeus. Entre eles havia um jovem psiquiatra chamado Viktor Frankl. Durante a Segunda Guerra Mundial, os nazistas construíram seis campos de concentração, e Viktor Frankl esteve em três deles. No seu livro, *Em busca de sentido*, Frankl descreve a situação caótica e insuportável que viveu no dia a dia nesses campos. "A maior parte do tempo, trabalhei em escavações e na construção de ferrovias. Ao longo de certo período, por exemplo, tive de cavar sozinho um túnel por baixo de uma estrada, para a colocação de canos d'água", ele escreveu. "Em Auschwitz, dormíamos em beliches de três andares. Em cada andar dormia nove pessoas. Havia dois cobertores para cada andar, isto é, para nove pessoas. Naturalmente só podíamos nos deitar de lado, apertados e forçados um contra o outro", continuou. "Certa vez, éramos mil e cem pessoas num único barracão, destinado a abrigar no máximo duzentas. Num período de quatro dias recebemos uma única vez uma lasca de pão."

Em outra passagem, Frankl conta que numa gelada manhã de fevereiro, ele permanecia alinhado com seu grupo de trabalho numa das ruas do campo. Ainda estava escuro. Os refletores estavam focados sobre os prisioneiros. Como a maioria dos colegas, Frankl vestia farrapos. "Minhas pernas estavam tão inchadas e a pele tão tensa, que já não conseguia dobrar direito os joelhos. Para conseguir enfiar os pés inchados nos sapatos, precisava deixá-los abertos, o que criava outro problema: eles logo enchiam de neve", revelou. "Meus dedos ficavam crestados e feridos. Todo e qualquer passo que dava era um pequeno martírio. O pátio do campo, nessa época do ano, era puro lodo; lodo e gelo. De repente eu ouvi uns gritos. Ergui os olhos e vi um companheiro meu sendo esmurrado até cair no chão." Frankl prossegue: "O ato se repetiu várias vezes. O homem era levantado e sempre de novo derrubado a socos". De repente, uma voz rompeu em meio a tudo: "Grupo de trabalho de Weingurt, marchar!" E logo a fila se movimentou num trote ditado a porrete. "Quem não marchava ereto e alinhado poderia contar com um pontapé ou um cassetete nas costas", contou Frankl. Enfim, quando chegavam à obra, era preciso se precipitar para dentro do galpão, ainda completamente às escuras, e tentar apanhar uma pá ou uma picareta com um cabo um pouco mais firme. Depois de escolher a ferramenta, cada um dirigia-se para sua posição. Começava o trabalho, que ia até o escurecer.

Viktor Frankl era filho de uma família de judeus oriundos da Moravia. Ele nasceu e viveu sua infância em Viena, na Áustria, onde seu pai chegou a ocupar um importante cargo no governo. Desde muito cedo, Viktor se interessou por psicologia. Aos quinze anos, já se correspondia com Sigmund Freud, seu conterrâneo. Aos dezesseis, deu sua primeira conferência. Aos vinte e dois, formou-se em medicina na Universidade de Viena. Nos anos seguintes, especializou-se em neurologia e psiquiatria. Em setembro de 1942, Frankl, seu pai, sua mãe, seu irmão e sua esposa, com quem era recém-casado, foram presos pelos nazistas. Após permanecer detido por algumas semanas num gueto de judeus na Polônia, ele foi separado da esposa e do resto da família. Daquele momento em diante, sua vida foi marcada pelo horror dos campos de concentração.

Ao longo dos anos, a história de Viktor Frankl tornou-se um símbolo de perseverança. Em 1946, um ano depois das tropas aliadas terem libertado os presos dos campos de concentração, Frankl divulgou suas memórias, onde conta as experiências vividas por ele e seus colegas ao longo da guerra. A publicação é considerada por muitos uma das obras mais influentes do último século.

UMA EXPERIÊNCIA DIFERENTE

No início do outono de 1971, uma equipe de pesquisadores da Universidade de Stanford, na Califórnia, resolveu desvendar os motivos que fazem das prisões lugares tão violentos e desumanos. Liderada pelo psicólogo Philip Zimbardo, a equipe simulou uma prisão nos porões do prédio do departamento de psicologia.

Numa parte do subsolo, criaram três celas que usaram como laboratório para a experiência. Cada cela foi construída exatamente no padrão das prisões de penitenciárias verdadeiras. Por meio de anúncios em jornais e emissoras de rádio, o grupo procurou voluntários para participar do estudo. O anúncio explicava que os recrutados participariam de uma prisão simulada durante duas semanas. Dos inscritos, setenta candidatos se qualificavam de acordo com o regulamento. Destes, foram selecionados vinte e quatro, considerados os mais emocionalmente estáveis. Todos eram brancos, de classe média, em perfeito estado de saúde física e mental. Nenhum deles possuía antecedentes criminais. Por sorteio escolheram-se os agentes penitenciários e quem seriam os presos.

A pedido dos pesquisadores, a polícia foi na casa dos voluntários. Com um mandado de prisão em mãos, acusou-os de assalto a mão armada. Em seguida, os algemou e levou-os até o Departamento de Polícia. Lá, a equipe de pesquisa recolheu as impressões digitais dos detentos, e identificou-os com um número pelo qual passaram a ser chamados. Daquele momento em diante, eles ficaram sob a guarda dos agentes penitenciários. Com olhos vendados, foram levados para a prisão simulada, no porão da universidade. Lá, vestiram o uniforme de presidiário e entraram nas celas, que permaneceram trancadas. Tudo para simular um fato real.

Pelas câmeras escondidas, o professor Zimbardo e sua equipe acompanharam as ações no presídio. O resultado foi surpreendente e chocou os pesquisadores. A experiência rapidamente fugiu de controle. A partir dos primeiros contatos com os presos, os agentes tornaram-se autoritários, disciplinadores e agressivos. Os presos tornaram-se rebeldes e desobedientes, porém, totalmente submissos. Ainda na primeira noite, presos e agentes tornaram-se inimigos. Os agentes acordaram os presos de madrugada e os forçaram a fazer flexões de braço. Depois, os obrigaram a ficar com o rosto voltado contra a parede e os agrediram com insultos verbais de toda ordem. Pela manhã do dia seguinte, os presos se rebelaram. Em contrapartida, os guardas obrigaram os presos a tirarem a roupa e dispararam os extintores de incêndio contra eles.

No terceiro dia, um dos prisioneiros sofreu um ataque de histeria e foi libertado. No dia seguinte, foram liberados outros quatro. O motivo: "intensa depressão emocional, choro, ataques de fúria e ansiedade aguda". Os presos restantes então decidiram fugir. A situação se agravou tanto, que Zimbardo e sua equipe resolveram abortar o projeto. A intenção era manter a experiência por duas semanas, mas a equipe foi forçada a concluí-la em apenas seis dias. Mesmo após sair da prisão, vários participantes apresentaram sérios distúrbios psicológicos.

O PROBLEMA É O EXCESSO, NÃO A ESCASSEZ

Viktor Frankl deixou o campo de concentração em abril de 1945, logo após as tropas aliadas invadirem Berlin. Foram 910 dias de confinamento, tortura e trabalho forçado sob o comando dos nazistas. Agora, reflita por um instante sobre a seguinte questão: como foi que Viktor Frankl (e tantos outros prisioneiros) — tendo perdido tudo, com todos os valores destruídos, sofrendo brutalmente de fome, de frio e de angústia, esperando a cada momento seu extermínio (a solução final), suportou níveis tão extremos de tortura, durante dois anos e meio, enquanto os voluntários do programa de Zimbardo não resistiram a uma semana, mesmo sem terem sido submetidos a nem parte dos horrores aos quais os primeiros foram expostos?

Se você analisar as duas situações, verá que a resposta é mais simples do que pode parecer. Os presos de Auschwitz sabiam que, para eles, só havia duas alternativas: a luta diária pela sobrevivência ou a morte. Além da sobrevivência, não existia mais nada. Essa objetividade lhes dava um foco específico, um objetivo determinado, uma missão diária a ser cumprida, ou seja: sobreviver. Essa clareza de propósito os fazia suportar qualquer coisa. Por mais humilhante, desumana e intolerável que a situação se apresentasse, ela era melhor que a morte. Havia um objetivo maior: a sobrevivência. Com isso em mente, todas as atrocidades, em certo ponto, se tornavam suportáveis, pois elas estavam ainda abaixo do propósito. O que ocorreu com os voluntários de Stanford foi exatamente o oposto. Ao contrário dos presos de Auschwitz, eles não tinham um foco específico. Estavam ali, mas opcionalmente conscientes que poderiam, ao seu alvitre, deixar a prisão, a qualquer tempo, sem nenhum impedimento. Em outras palavras, os presos de Auschwitz tinham um propósito claro e específico: sobreviver; enquanto os presos de Stanford tinham várias opções, inclusive a de deixar a prisão.

Essa constatação, por mais simples que possa parecer, é de importância fundamental porque nos revela uma coisa bastante óbvia, mas que insistimos em ignorar. Ao contrário do que pensamos, o maior responsável pela mediocridade na vida das pessoas e empresas não é a falta de oportunidades, mas seu excesso. O excesso de oportunidades dissipa nossas energias e divide nossos pensamentos em tantos assuntos e em tantas direções distintas que, ao invés de criarmos um foco seguro, para nos fortalecer e servir de guia, nos tornamos vítimas da dúvida, da insegurança e, por consequência, da fraqueza.

Todo dia, diante das circunstâncias impostas pelo ambiente que nos cerca, somos forçados a fazer inúmeras pequenas escolhas; estamos, o tempo todo, diante de um entroncamento de opções. Se não tivermos um objetivo claro e específico que mantenha nosso foco, seremos inevitavelmente paralisados pela dúvida. Além disso, a própria constituição do ser humano, por natureza, é confusa, complexa, uma mistura de opções, desejos e contradições, nos lançando num mar de indagação permanente. A cada momento surge algo novo, um canto da sereia, que parece sinalizar algo que não podemos deixar de fazer. Essa dúvida entre fazê-lo ou não cria uma espécie de letargia. Precisamos organizar essa complexidade, lhe dar uma direção, um propósito, um guia que nos oriente diante das escolhas diárias.

Exemplos do quanto estamos infectados pela Síndrome do Excesso de Oportunidade podem ser vistos em qualquer lugar. Observe por exemplo a orientação que é dada aos alunos na hora de prestar vestibular. Um das orientações mais comuns é que eles se inscrevam em duas ou três universidades e em cursos distintos. Por quê? Porque caso não consiga ingressar no curso de sua preferência ele terá uma segunda opção, num curso menos competitivo. Se sua prioridade, por exemplo, é jornalismo, a segunda opção pode ser educação física, um curso bem menos competitivo e que, por isso, oferece uma maior possibilidade de ingresso. O que está em jogo, nesse caso, é a negação dos talentos naturais do aluno. Por falta de persistência, ele acabará frequentando um curso para o qual não possui a mínima inclinação vocacional, e sua vida profissional será uma enorme frustração.

A DÚVIDA PARALISA

Você já parou para pensar o que determina suas escolhas? No início da década de 90, o professor de psicologia Eldar Shafir e seu colega Amos Tversky, da Universidade de Princeton, realizaram um amplo estudo sobre o comportamento das pessoas na hora de tomar decisões. Shafir e Tversky queriam saber até que ponto a incerteza diante de uma situação poderia alterar o comportamento das pessoas.

Suponha que você esteja no último ano de colégio. Faltam duas semanas para as festas de Natal e de fim de ano. Você acabou de prestar os exames finais. Se passar, poderá prestar vestibular e entrar para a universidade no ano seguinte. Se não for aprovado, terá que repetir o ano. O resultado das provas, portanto, decidirá seu caminho para o ano seguinte. Imagine que faltam três dias para saber o resultado dos exames quando você recebe uma proposta inusitada: a turma de graduação está organizando uma excursão para a praia. O pacote, com passagem e hotel, é uma barbada. Essa é a viagem dos seus sonhos e você tem o dinheiro disponível. Mas tem um problema: você ainda não sabe o resultado das provas, ou seja, não sabe se logrou ou não a aprovação.

Diante das circunstâncias descritas, você tem três opções: você pode comprar o pacote independentemente do resultado, pode deixar passar a oportunidade, ou pode pagar R$ 50 para assegurar a vaga durante os próximos três dias, quando já terá o resultado dos exames. O que você faria? Shafir e Tversky dividiram os alunos em dois grupos. Para facilitar a compreensão, vamos chamar esses grupos de "A" e "B". Na primeira fase da experiência, o resultado dos exames foi antecipado para ambos. Ao grupo A, foi dito que haviam sido aprovados; ao grupo B, que haviam sido reprovados. No grupo A, 57% dos alunos decidiram ir ao passeio. No grupo B, 54%, mesmo tendo sido reprovado nos exames, também quiseram ir. Em outras palavras, nos dois grupos de alunos, tanto no dos reprovados como no dos aprovados, uma média de 55% escolheu ir ao passeio. Isso nos leva a concluir que o resultado dos exames, de fato, não interferiu na escolha. Certo?

Aqui está o gancho: para um terceiro grupo, que chamarei de C, não foi dito o resultado dos exames. Para este grupo, foram dadas as mesmas três opções apresentadas aos grupos A e B, no exemplo anterior. Ou seja, os alunos do grupo C tinham de optar entre uma das três alternativas, mas, ao contrário dos outros dois grupos, eles não sabiam o resultado dos exames. Como vimos, na experiência realizada com os grupos A e B, que o resultado dos exames não interferiu na escolha, já podemos prever a preferência do grupo C, certo? Errado.

O estudo de Shafir e Tversky mostrou que o comportamento do grupo C foi completamente diferente. Para estes, a indecisão sobre o resultado do teste fez toda diferença. Ou seja, agora, 61% dos estudantes optaram por pagar os R$ 50, protelando a escolha para quando obtivessem o resultado dos exames. Estranho, não é? Lembre que tanto no grupo A quanto no grupo B, independentemente do resultado, a maioria decidiu ir para o passeio. O resultado dos exames, sendo negativo ou positivo, não fez muita diferença. Mas agora, quando não lhes foi revelado o resultado, a indecisão fez com que 61% dos estudantes pagassem os R$ 50 para garantir a vaga até conhecer o resultado e, só então, fazer a escolha. Por que, se, para a maioria, o resultado não interfere na decisão? A conclusão do estudo vem na direção do que afirmamos antes: a indecisão, a dúvida, nos paralisa.

OPTAR PELO MAIS FÁCIL

Agora, observe esse outro estudo, feito por Shafir e o professor Donald Redelmeier, da Universidade de Toronto. Imagine que é final de tarde de sexta-feira. Você está planejando o que fará à noite, e está indeciso entre as duas opções a seguir:

1. Assistir a uma palestra de uma pessoa que você admira muito e que estará na cidade apenas nessa noite.
2. Ficar em casa e concluir um trabalho para o colégio que você precisa entregar na semana que vem.

O que você faria? O trabalho do colégio poderá ser concluído durante o final de semana. Ao contrário, a oportunidade de assistir a palestra é única. Dessa forma, parece bastante lógico que você optaria pela palestra. Pelo menos no estudo de Shafir e Redelmeier, 79% dos alunos decidiram ir à palestra. E apenas 21% optaram por ficar em casa e concluir o trabalho do colégio. Agora, o que aconteceria se, além das duas opções anteriores, você tivesse uma terceira opção, como no exemplo a seguir:

1. Ir a uma palestra da pessoa que você admira muito e que estará na cidade apenas nessa noite.
2. Ficar em casa e concluir o trabalho do colégio.

3. Ir ao cinema e assistir ao filme que está sendo a grande sensação do momento e que você está louco para ver.

O que você escolheria? Será que a resposta mudaria? Quando essa mesma questão foi apresentada aos estudantes do teste anterior, o número de alunos que decidiu ficar em casa e concluir o trabalho do colégio dobrou. Agora, 40% decidiram por concluir o trabalho. Estranho, não é? Quando temos opções muito atraentes, a decisão fica mais difícil e, estranhamente, escolhemos a mais fácil. Por quê? Porque ela nos dispensa de fazer uma escolha complicada. É difícil escolher entre ir ao cinema e à palestra, porque desejamos a mesma coisa com a mesma intensidade. Por isso, fizemos outra escolha: a que menos nos desafia. Se, como vimos nos dois estudos acima, pequenos fatores fazem essa extraordinária diferença na hora de tomar uma decisão, imagine o quanto somos afetados pelas influências das circunstâncias ao longo de uma vida. Se não estivermos atentos, quando não temos um propósito específico para orientar nossas escolhas, é muito fácil vivermos uma vida inteira vitimados pela Síndrome do Excesso de Oportunidades.

COMO UM PROPÓSITO MUDA O MUNDO

Em 1958, os americanos, que se orgulhavam por ser o centro tecnológico do mundo, ficaram de boca aberta quando os soviéticos lançaram ao espaço o primeiro satélite da história. Sputnik, seu nome, tornou-se uma palavra universal do dia para noite. Era um tempo onde o mundo assistia de maneira ansiosa à disputa entre os Estados Unidos e a União Soviética. O jogo de poder entre essas duas potências, conhecido como Guerra Fria, era silencioso, tenso e imprevisível. Os americanos reagiram imediatamente, e, dois meses depois, lançaram seu próprio satélite. Mas, logo em seguida, avançando um passo à frente outra vez, os soviéticos anunciaram o Sputnik II, agora com um passageiro a bordo: Laika, uma cadela que se tornou tão famosa como o próprio Sputnik. Os avanços da União Soviética no espaço não pararam. Mal o mundo havia assimilado a experiência com Laika, foi a vez de o astronauta russo Yuri Gagarin entrar para a história como o primeiro ser humano no espaço. Essa supremacia soviética assustava os americanos. Em maio de 1961, John F. Kennedy fez um discurso numa sessão especial do Congresso americano. Nesse discurso, Kennedy deixou uma lição que define em grande parte o sucesso americano nas décadas subsequentes.

Ao falar ao Congresso, Kennedy fez uma série de observações e estabeleceu um conjunto de metas. Em sua opinião, essas medidas garantiriam a liderança espacial dos Estados Unidos diante dos soviéticos. Dessas observações, uma, em especial, parecia fazer toda diferença. "Eu acredito que a nação deva se comprometer para alcançar o objetivo de, ainda antes do fim dessa década, levar um homem à Lua e fazê-lo voltar em segurança para a Terra", disse Kennedy. "Eu acredito que possuímos todos os recursos e talentos necessários", ele afirmou. "Porém, o problema está no fato de o país nunca ter assumido o compromisso conjunto. Ou de nunca ter organizado os recursos exigidos para tal empreendimento. Nós nunca especificamos metas de longo prazo, e nunca determinamos um tempo específico para cumpri-las, nem gerenciamos nossos recursos e nosso tempo para realizá-las plenamente", ele disse.

Visto dos dias atuais, está claro que o discurso de Kennedy colocou os Estados Unidos um passo à frente da União Soviética muito antes de fazer qualquer investimento concreto. Kennedy conhecia o potencial de seu país. Sabia que a reviravolta, em qualquer circunstância, começa pela definição de propósito. Kennedy entendeu perfeitamente que a competição com a União Soviética não era uma corrida espacial; mas uma corrida científica; que, na verdade, era uma corrida educacional. A forma que Kennedy escolheu, entretanto, para entusiasmar e motivar os americanos a fazer os sacrifícios e os esforços necessários para vencer a Guerra Fria, que exigiu um desenvolvimento em larga escala das ciências e da engenharia, foi impor a visão, o sonho de levar um homem à Lua. Em outras palavras, ele definiu o ponto onde a escada deveria ser colocada. Ele sabia que a força necessária para subir os degraus seria adquirida ao longo da caminhada. Sob sua liderança, o país decidiu o que queria, definiu seus objetivos e tomou a decisão de alcançar esses objetivos. E qual foi o resultado? Apesar de Kennedy ter sido assassinado em novembro de 1963, o astronauta americano Neil Armstrong, no dia 20 de julho de 1969, se tornou o primeiro homem a pisar na Lua.

O que Kennedy fez com os Estados Unidos, precisamos fazer com nós mesmos. Após descobrir nosso talento, temos de definir um propósito claro e específico que nos ajudará a dar um sentido a nossa vida. Esse sentido será fundamental para fazer as escolhas certas ao longo do processo. Um dos exemplos mais fascinantes de como isso funciona nos foi dado por Herbert Kelleher, co-fundador e ex-presidente da Southwest Airlines.

O CONCEITO KELLEHER

A Southwest Airlines é uma das companhias aéreas mais valiosas dos Estados Unidos. Durante as últimas três décadas, ela vem liderando o mercado de linhas domésticas no país. Desde sua fundação, em 1971, a Southwest construiu sua reputação oferecendo passagens aéreas a um preço muito inferior ao das concorrentes. Para alcançar esse objetivo, a companhia descarta qualquer serviço de bordo desnecessário e utiliza aeroportos secundários, evitando a concorrida escala aérea dos grandes aeroportos. No universo empresarial, a Southwest é um modelo de gerenciamento. Nas pesquisas da *Fortune Magazine*, ela constantemente aparece entre as cinco empresas mais admiradas pelos americanos. Seu crescimento é um dos poucos em constante e forte ascendência nesse tipo de mercado.

Questionado, certa vez, sobre o segredo do sucesso gerencial da Southwest, Herbert D. Kelleher, seu co-fundador e ex-presidente, surpreendeu ao afirmar que era capaz de ensinar qualquer pessoa a administrar a empresa em apenas trinta segundos. "Tudo que você precisa saber é isto: nós somos a companhia com as tarifas aéreas mais baratas. Uma vez compreendido isso, você pode tomar qualquer decisão sobre o futuro da empresa tão bem quanto eu", ele disse. E explicou: "Suponha, por exemplo, que Tracy, do setor de marketing, vem até você e diz que pesquisas indicam que os passageiros que voam frequentemente entre Houston e Las Vegas gostariam que a empresa substituísse os amendoins servidos durante a viagem por uma salada verde com peito de frango. Nesse caso, o que você diria? Você simplesmente pergunta: Tracy, você acha que uma salada verde com peito de frango vai nos ajudar a ser a companhia aérea com as passagens mais baratas no trecho Houston — Las Vegas? Se essa ideia não nos ajudar a ser, de forma incontestável, a companhia com as passagens aéreas mais baixas, nós não vamos servir nenhuma salada com peito de frango!"

É claro que essa não é a história completa da Southwest. O que Kelleher quis nos dizer é que, para operar uma grande empresa, você precisa estabelecer um número reduzido de padrões gerenciais, uma espécie de base conceitual clara e sólida a partir da qual tomará suas decisões, a que eu denomino de Conceito Kelleher. Em outras palavras, ter um Conceito Kelleher é o que o autor Stephen R. Covey chama de começar com o objetivo em mente. "Se a escada não estiver apoiada na parede certa, cada passo dado só nos levará mais depressa para o lugar errado", diz Covey. O Conceito Kelleher, portanto, é a definição do lugar exato onde você vai escorar as decisões da sua vida, ou mesmo da vida de sua empresa.

Definir o que você quer, de forma clara e ardente, é o começo de todas as conquistas e realizações. Esse objetivo claro sempre partirá de um propósito mental, um pensamento abstrato cujo papel é servir de âncora para nossas escolhas. Se estabelecermos esse objetivo de maneira deliberada, seremos senhores das nossas escolhas; se não o fizermos de forma deliberada, ele será estabelecido pelas nossas dúvidas e inseguranças. Se partirmos dos exemplos citados no início desse capítulo, os presos de Auschwitz, antes de seguirem seu plano de sobrevivência em acontecimentos reais, o haviam estabelecido na mente. A opção pela sobrevivência foi uma escolha mental deliberada. Da forma contrária, as opções dos voluntários de Stanford foram decisões aleatórias, tomadas a partir de reações impulsivas, sem um fim especificado previamente. Os primeiros agiram de forma planejada, os voluntários de Stanford, por omissão.

O objetivo do Conceito Kelleher, portanto, é direcionar nossas escolhas para um fim específico, definido previamente. Ele faz com que nossas decisões na vida sejam feitas de forma consciente, renunciando a qualquer tentação que não alinhe nossas ações com nosso propósito. Começar com o fim em mente significa começar tendo uma compreensão clara de onde você quer chegar. Ao manter esse fim claro em sua mente, você pode ficar certo de que qualquer coisa feita em um determinado dia não violará o seu propósito; e de que cada dia sua vida contribuirá para a realização desse propósito.

Ou seja: uma vez que você conhece seu talento, precisa definir um propósito no qual irá usar e desenvolver esse talento, e, dentro desse propósito, definir o ponto exato do resultado que quer atingir. Para alcançar sucesso na vida, você só pode ter um norte. Os caminhos para chegar ao norte podem variar. Você poderá acertar o caminho mais curto na primeira tentativa, você poderá apanhar uma tempestade, você poderá se perder e ser forçado a retornar e retomar a estrada certa, enfim, você pode encontrar mais ou menos obstáculos ao longo da jornada, mas, para chegar lá, você precisa saber, com clareza, aonde quer chegar.

ALINHANDO A CARREIRA DE GISELE

A definição de um propósito claro logo no início da carreira foi uma das grandes vantagens de Gisele Bündchen, senão a razão principal de seu sucesso. Gisele desembarcou em São Paulo em setembro de 1994, como finalista da etapa brasileira do concurso *The Look of the Year*. O concurso, que mais tarde passou a se chamar *Elite Model Look*, é uma espécie de peneirão de adolescentes magras, altas e bonitas. A agência Elite, que promove o evento, realiza etapas como a brasileira, em mais de 40 países. Somente no Brasil, recebe mais de 30 mil inscrições por ano. O processo é o mesmo em todos os países. Primeiro, a agência promove desfiles nas principais cidades, depois, faz uma eliminatória em cada Estado, e as vencedoras das etapas estaduais participam de uma grande final, como a de São Paulo. Dali, três representantes vão para a competição internacional. Embora vencer um concurso como o *Elite Model Look* seja uma vitrine espetacular, ele absolutamente não é garantia de sucesso. Gisele, por exemplo, ficou em segundo lugar na etapa Brasil. Você tem ideia de quem ficou em primeiro?

O segundo lugar na etapa brasileira classificou Gisele para a final, no paradisíaco balneário de Ibiza, na Espanha. Em Ibiza, candidatas do mundo todo disputavam um contrato de US$ 100 mil. Durante uma semana, as candidatas ensaiavam, fotografavam, faziam os clipes que entrariam na etapa final num programa de TV ao vivo que escolheria as vencedoras. Gisele se classificou entre as dez primeiras do mundo. A partir daí, fez alguns editoriais de moda no Japão. E, nos meses seguintes, veio a frustração. Diante das inúmeras dificuldades enfrentadas na carreira de modelo, Gisele voltou para a casa dos pais, decepcionada, sem trabalho e sem escola.

Ela já havia provado que tinha talento para ser modelo, afinal conquistou títulos, fez ensaios e até atuou no exterior. Mas até aqui não existia nenhuma solidez na carreira. O resultado financeiro também ainda não havia aparecido. De um lado, a vida estava toda desestruturada: Gisele estava fora da escola, em casa, com suas expectativas abaladas. De outro, existia o talento, a possibilidade, o sonho e a vontade. Ciente do potencial da filha, Valdir decidiu olhar a oportunidade com cuidado. Estudou a carreira de outras modelos, pesquisou e analisou o mercado, dialogou com a família e manteve uma intensa discussão com a equipe da agência interessada nos trabalhos de Gisele. "Primeiro buscamos compreender a fundo as complexidades e os desafios que a carreira exigia", conta Valdir. "Em seguida, comparamos essas complexidades com o potencial de Gisele para, por fim, auxiliá-la a traçar metas para superar essas complexidades", ele explica. Em outras palavras, o que Valdir fez foi cavar fundo para ver se o propósito era internamente consistente.

O propósito definido por Gisele foi "tornar-se a top número 1 do mundo". Perceba: há uma diferença entre querer ser uma modelo famosa e ser a "top número 1 do mundo". Da mesma forma como há uma diferença entre ser melhor que a União Soviética ou enviar um homem à Lua e trazê-lo de volta, até o final da década. Ou, como no caso da Southwest, oferecer passagens baratas ou ser a companhia aérea a oferecer as passagens mais baratas do mercado. Ter um Conceito Kelleher é saber exatamente, com mínima precisão, o que é que você quer, e definir esse propósito num conceito simples, claro e profundo.

Resumindo: uma vez que você descobriu seu potencial, precisa descobrir o núcleo, a ideia principal do seu propósito, e condensá-la numa sentença simples e clara, como: "até o final desta década, os Estados Unidos precisam levar um homem à Lua e trazê-lo de volta intacto"; ou algo como:

"ser a top número 1 do mundo". Esse conceito, o Conceito Kelleher, será o seu norte. Ele prioriza nossas ações e elimina a perda de tempo com devaneios e delírios que desajustam nosso foco. Na contramão do Conceito Kelleher, a Síndrome do Excesso de Oportunidades confunde seu norte, e deixa você confuso.

AS CARTAS DE NATAL

O filósofo e terapeuta americano Lou Marinoff explica isso de uma maneira interessante. "Se tivermos um propósito para nossa vida, fica mais fácil encontrarmos o significado nas circunstâncias que enfrentamos no dia a dia", ele diz. "Propósito e significado se completam. Se você não tem ou não sabe o propósito, você não compreenderá o significado da vida e ficará confuso". Marinoff considera a falta de um objetivo pessoal a grande praga do Século 20, o que nos acompanha no novo milênio. "Muitas pessoas carecem de um senso de objetivo ou significado em suas vidas; e isso passou a parecer normal. Mas poucos são felizes dessa maneira", escreve. "Geralmente não nos satisfazemos com a ideia de que a nossa vida e o nosso mundo são completamente acidentais e sem pé nem cabeça. Quanto mais olhamos nessa direção sem encontrar nenhuma outra explicação, mais difícil é suportar a vida", ele afirma. Essa concepção nos leva a agir de forma inconsciente, reativa; e acabamos perdendo o controle da vida, passando a viver à deriva. Conhecer seu talento, ter um propósito específico evita esse tipo de fracasso.

No Natal de 1993, Valdir Bündchen estava com sua esposa, Vânia, e com suas seis filhas na praia, em Santa Catarina. Enquanto mãe e filhas aproveitavam o sol da manhã, Valdir preparava o almoço. A economia não era muito favorável para a família Bündchen. E, quando chegava o final do ano, cada uma das seis meninas tinha um pedido especial quando fazia a lista para os presentes natalinos. Na hora de avaliar os pedidos das filhas, Valdir e dona Vânia ficaram sem muitas opções, mas uma coisa era certa: era impossível satisfazer a todas em seus desejos sem comprometer o orçamento familiar.

Valdir estava numa encruzilhada: endividar a família ou frustrar o Natal. A moldura de seu projeto de vida não permitia nenhuma das duas coisas. Olhando isso, hoje, parece uma circunstância trivial, mas em se tratando de pais e filhos, essas coisas, mesmo à primeira vista pequenas, têm muito valor. As escolhas são sempre mais complicadas do que parecem. Tanto o endividamento, como a frustração não ajudariam Valdir em seu propósito de construir uma família exemplar. Mas a diferença é ter um propósito no qual guiar nossas escolhas.

O que foi, então, que Valdir fez? Ele aproveitou os momentos em que estava sozinho, enquanto cozinhava, para escrever uma carta para cada uma de suas filhas. Nas cartas, destacou o quanto cada uma, dentro de suas singularidades, era especial e importante. Junto, as fez compreender a situação financeira da família. O momento exigia o sacrifício do time inteiro. No final, reafirmou o amor e a dedicação, tanto dele como da dona Vânia, em oferecer o melhor, dentro do possível, para o bem-estar de cada uma. Isso teve um impacto forte e positivo sem quebrar a moldura do propósito de Valdir. Hoje, a família Bündchen se lembra de poucos Natais tanto quanto desse, em particular.

Além de forçar a priorização, o propósito lhe dará ideias novas, inovadoras, servirá de bússola para as decisões que parecem irrelevantes, mas que, na maioria das vezes, são a semente daquilo que, ao se acumular, se transforma no sucesso ou na frustração futura. Diante do excesso de oportunidades que as circunstâncias lhe oferecem, todo dia você tem uma infinidade de decisões para tomar. Na maior parte das vezes, não são nem mesmo decisões grandes, mas pequenas, rotineiras, como a do exemplo acima, que fazemos aleatoriamente, sem pensar, mas que, com o passar do tempo, nos desalinham completamente com nossos desejos.

O Conceito Kelleher lhe dá algo palpável, tangível, que você vai usar como guia para qualquer situação. Você faz as mesmas coisas, mas com um senso de direção. A definição de um propósito, através de um conceito claro, como, "a top número 1 do mundo", ajuda você a se focar num único ponto, a atuar, de maneira apropriada, como se vai assistir a uma novela ou ler um livro, e se a opção for ler um livro, que tipo de livro.

O efeito é muito maior, no entanto, quando nos deparamos com situações cruciais da nossa vida. São nesses momentos, de estresse, de intensa pressão, que revelamos o que temos dentro de nós. É em momentos assim que o modo como fizemos escolhas definirá o rumo da nossa vida. O estresse nos diz quem somos. A pressão, o desafio, nos coloca diante de uma bifurcação e nos faz optar. É a escolha desse caminho que definirá quem realmente somos. Nesses momentos, há apenas uma forma de escolher o certo, e é preciso saber exatamente aonde queremos chegar.

Pense sobre o que ocorreu na última vez que você iniciou uma dieta. Ou quando se propôs a um programa de exercícios físicos. Por que você desistiu? Se você é como a maioria, desistiu na primeira circunstância em que diferentes opções se apresentaram a sua frente, ou seja, quando você teve, como os presos de Stanford, a oportunidade de fazer escolhas. As pessoas que realizam seu propósito têm, por imposição própria, um número de opções reduzidas. Para eles, como para os presos de Auschwitz, ou como para a Southwest Airlines, só há uma opção: realizar aquilo que elas definiram como seu propósito, descoberto a partir do núcleo de suas habilidades, expresso por um desejo específico, simples e claro.

O SEGREDO DO MAGO

Permita-me analisar mais um exemplo prático de como isso se aplica. Paulo Coelho é um dos maiores fenômenos literários mundiais de todos os tempos. Traduzido praticamente em todas as línguas, já vendeu mais de 100 milhões de livros. Apesar de ser torturado pela crítica brasileira, ele é um dos autores mais lidos no mundo e é o único autor vivo mais traduzido que Shakespeare. Em 2008, Fernando Morais lançou a biografia do autor. Para escrever a obra, teve acesso a centenas de diários e documentos até então secretos. Em entrevista durante o lançamento do livro, um repórter perguntou a Morais o que teria levado Paulo Coelho a tornar-se o fenômeno literário que é. Morais não gaguejou ao responder. "Não foi por falta de opções que Paulo Coelho se tornou escritor", explicou. "Ele poderia ter seguido a carreira de compositor, ou de dramaturgo, ter sido executivo da indústria fonográfica, mas ele não queria nada disso, muito menos ser engenheiro, como era o sonho de seu pai". Segundo Morais, Paulo Coelho tinha claro, desde cedo, que queria ser um escritor lido e reconhecido no mundo todo. "Em nenhum momento ele disse que queria ser um escritor bom ou ótimo. Tudo que ele queria, era ser um escritor lido no mundo inteiro. Ele escreveu isso centenas de vezes desde que começou a escrever diários, por volta dos 12 anos de idade", conta Moraes, e complementa: "É incrível ver isto posto num papel por uma criança que depois vem a ser o cara que vendeu 100 milhões de livros". Paulo Coelho se tornou exatamente isso: um escritor lido e reconhecido no mundo inteiro. Seus livros são bons? Ruins? Ele é um literato? Um intelectual? Tudo isso não importa. Seu propósito específico era "tornar-se um escritor lido e reconhecido no mundo inteiro". Esse é o segredo da magia de Paulo Coelho: o segredo do mago.

O FENÔMENO DA "REALIDADE VIRTUAL"

Por que um propósito definido tem esse efeito? Suponha que você esteja indo até a estação de metrô. No caminho, encontra um amigo. Conversam um pouco. Ele olha para você e diz: "Eu nunca tinha observado, mas agora percebo que seu nariz é um pouquinho torto para um lado. Você bateu o nariz quando criança?" Você pensa, tenta recordar alguma coisa. Mas não se lembra de nada. Você nem mesmo havia percebido que seu nariz era um pouco torto. "Não", responde. Seu amigo aproxima o rosto, observa o nariz mais de perto e reafirma. "É", ele diz, "é pouca coisa, mas seu nariz é inclinado para a direita".

Você segue seu caminho. Inevitavelmente, a constatação do seu amigo lhe toma a atenção. Se você é uma mulher, e carrega um estojo de maquiagem com espelho, é bem provável que já tenha conferido se realmente seu nariz é meio torto. Mas, suponha que depois de pensar um pouco, você esqueça o assunto. Uma semana depois, porém, outra pessoa faz a mesma observação. Desta vez, você confere no espelho, mas de novo não percebe nada. Um mês depois, outra pessoa lhe diz o mesmo. É bem provável que, a essa altura, ainda que seu nariz seja perfeito, você comece a perceber uma leve inclinação, mesmo que tal não exista.

Por que isso acontece? No momento em que alguém nos diz alguma coisa, imediatamente criamos uma espécie de simulação virtual daquilo que estamos ouvindo. No exemplo do nariz, quando ouvimos as palavras "um pouquinho torto", criamos sobre a imagem que já temos de nós uma adaptação do que o outro diz. Procuramos ver, mentalmente, o que o outro está vendo. Imediatamente, formamos uma imagem mental de nosso rosto com um nariz um pouco inclinado. Os psicólogos chamam esse processo cognitivo de Realidade Virtual. E mesmo que essa visualização não seja real, ela é o que de mais próximo existe da realidade. Dependendo da intensidade com que vemos essa imagem mentalmente, ela se confunde com a própria realidade. Palavras e pensamentos nos levam a fazer uma simulação em nossa mente. Quando, por exemplo, alguém nos conta um acidente que ocorreu num local que nos é familiar, nós nos movimentamos, passo a passo, de acordo com cada etapa do acidente, simulando os fatos que nos são contados.

Isso acontece porque nós não conseguimos compreender ou imaginar eventos, ou sequências, sem criar uma imagem mental desses eventos. E o mais importante: nós não conseguimos criar nenhuma imagem sem evocar os mesmos módulos que evocamos quando vemos ou desenvolvemos atividades reais. Por exemplo: quando penso num nariz torto, eu evoco os mesmos princípios do cérebro que evocaria se me olhasse no espelho e visse que meu nariz realmente é torto. O mesmo acontece quando alguém estabelece uma meta ou define um propósito.

Um estudo realizado por uma equipe da Universidade *New South Wales*, de Sidney, liderado pelo psicólogo Mark Dadds, revela que quando uma pessoa bebe água, mas imagina que está bebendo limonada, saliva mais. Ainda mais surpreendente: o estudo revela que quando se bebe limonada pensando que é água, salivamos menos. Quando imaginamos uma luz piscando, ela ativa a área visual do cérebro que usaríamos para observar a lâmpada se ela de fato existisse; quando imaginamos alguém tocando nossa pele, o cérebro ativa a área do tato.

A mesma coisa acontece quando definimos um objetivo claro e específico. Vamos incorporando esse objetivo mentalmente, visualizando-o cada vez com mais clareza, criando um estado mental favorável para tornar nosso propósito uma realidade. Pense, por um instante, sobre o efeito que um conceito como "tornar-se a top model número 1 do mundo" pode ter na consciência de uma menina de 14 anos.

Por tudo isso, definir o propósito do seu empreendimento, seja na vida particular, na empresa ou numa atividade social, é tão poderoso para nos ajudar a simular a realização desse propósito. A imaginação cria emoção positiva, faz você se sentir com poder, poder e vontade cria ação, e a ação, resultados.

Quando você descobre seu talento e transforma isso num propósito específico como "a número 1 do mundo", sua mente vai se adaptando a esse desejo. Tente pensar na construção de uma casa sem evocar sua imagem. É impossível. Da mesma forma, o sucesso precisa ser criado primeiro em sua mente, para, depois, tomar sua forma física. A maneira de fazer isso é descobrir seu talento, definir seu propósito e criar um Conceito Kelleher que o previna contra a Síndrome do Excesso de Oportunidades.

SÍNTESE

Até aqui, vimos que as pessoas de sucesso descobrem seu talento e constroem sua carreira sobre esse talento. Vimos também que elas criam um conceito específico, tal como o Conceito Kelleher, que serve de parâmetro, de referência, por meio da qual elas conduzem suas escolhas. O Conceito Kelleher compõe o núcleo principal do propósito de vida da pessoa ou da empresa. Se você estudar a vida das pessoas que alcançaram um desempenho notável, em qualquer campo, irá perceber que todas tinham em mente, com absoluta clareza, aquilo que buscavam.

CAPÍTULO 3

A Lei da Tripla Convergência

Por que há tantas pessoas de sucesso insatisfeitas? Descubra como ter sucesso e felicidade ao mesmo tempo.

EM FEVEREIRO DE 2006, A ESCRITORA AMERIcana Elizabeth Gilbert lançou um livro chamado *Comer, rezar, amar*. Elizabeth já havia escrito outros livros, mas nada parecido com esse. Assim que saiu da editora, *Comer, rezar, amar* se tornou um fenômeno de vendas. Nas primeiras semanas ele passou a ocupar a lista dos mais vendidos do *New York Times*. Poucos meses depois, o sucesso se repetiu em dezenas de países, em todos os cantos do globo. Em três anos, *Comer, rezar, amar* vendeu cinco milhões de exemplares, foi traduzido em 26 idiomas e fez de Elizabeth uma das mulheres mais influentes do planeta. Elizabeth é bonita. Alta, magra, loira, tem intensos olhos azuis e um sorriso largo e simpático. Ela hoje é uma mulher feliz, realizada, mas nem sempre foi assim.

Aos trinta e dois anos, Elizabeth parecia estar com sua vida encaminhada. Era casada e vivia numa casa enorme num subúrbio de Nova York, além de ter um apartamento em Manhattan. Trabalhava numa prestigiosa revista e já era escritora e roteirista de sucesso. Ela e o marido decidiram, então, ter o primeiro filho. Tudo parecia perfeito. Mas havia um problema: ao invés de sentir-se feliz, Elizabeth estava insatisfeita, triste, e, muitas vezes, entrava em pânico. Ela tinha um sentimento de que engravidar seria um erro. E pior: não queria mais estar casada, nem viver naquela casa enorme.

Ao questionar-se sobre o motivo de tanta insatisfação, ela vacilava, ficava insegura, confusa. "Como eu poderia ser tão imbecil a ponto de me envolver tão intensamente num casamento apenas para, em seguida, cair fora?", ela se questionava. "Havíamos comprado essa casa há um ano. Eu não a queria desde o princípio? Eu não gostava dela? Então, porque eu perambulava pelos seus corredores à noite, choramingando? Eu não estava orgulhosa de tudo o que havíamos acumulado? Eu havia participado ativamente de cada instante da criação daquela vida — então, por que sentia que nada daquilo combinava comigo?"

Alguns meses depois, Elizabeth deixou o marido e saiu de casa. Após a separação, conheceu outro homem. Os dois se apaixonaram. O relacionamento parecia ter dado energia a sua vida outra vez. Mas a relação não passou de fogo de palha que se consumiu nos meses seguintes. Outra vez, o desespero tomou conta.

Quando Elizabeth percebeu que o problema, na verdade, era ela, e não o mundo a sua volta, sentiu que a mudança precisava partir de dentro. Alguma coisa lhe dizia que ela estava olhando o mundo pelo lado errado do telescópio. "Estava absorta nas coisas que não queria e perdi o foco do que era mais importante", ela conta. "Tive de admitir: eu precisava de uma reviravolta que me devolvesse outra vez o comando da vida." Ela optou, a partir de profundas e dolorosas reflexões, por uma decisão inusitada. Largou tudo para viajar por um ano em busca de respostas para sua vida. Destino: Itália, Índia e Indonésia. O propósito da viagem era desvendar o prazer na Itália, a fé na Índia e o amor, na Indonésia.

Sem dinheiro, ela convenceu seu editor a custear a viagem. Em contrapartida, assumiria o compromisso de escrever um livro sobre a experiência. *Comer, rezar e amar* é um livro de memórias sobre essa viagem. Desde a publicação do livro, milhares de pessoas iniciaram uma romaria por esses países, seguindo os passos contados por Elizabeth. Certo dia, num bate-papo com leitores, uma fã quis saber como a autora se sentia pelo fato de as pessoas estarem percorrendo o roteiro que ela descreve no livro, em busca das respostas que ela obteve. Elizabeth sorriu. Seus lábios finos insinuaram um movimento, logo interceptado por outra ideia que se interpôs. Ela se deteve por um instante. Depois, respondeu: "Recebo inúmeros e-mails pedindo informações sobre o roteiro que fiz enquanto escrevi o livro. Pessoas na Itália dizem que conseguiram encontrar quase todas as pizzarias que descrevo no livro, pedem para que lhes dê informações precisas sobre os lugares que estive na Índia e na Indonésia. Ok, tudo isso é excelente e inspirador. Mas a chave da questão não é que as pessoas sigam os passos da minha viagem, sigam para os lugares onde eu fui. O ponto crucial é que as pessoas, assim como eu, façam a si mesmas perguntas que as levarão a sua jornada", ela refletiu.

Em seguida, ela explicou que, durante meses, andava às voltas com uma série de perguntas que culminaram nas suas decisões. "O que é que eu realmente quero? Por que estou infeliz? O que, se eu fizesse, de fato mudaria minha vida? Por que estou onde estou? Para onde estou indo? O que estou fazendo dessa vida maravilhosa que me foi dada?", ela se perguntava.

As respostas não vieram a Elizabeth num relâmpago. "Foram quatro anos de sofrimento, desespero e, muitas vezes, de intensa solidão em que eu vinha me perguntando constantemente: se eu pudesse fazer alguma coisa, qualquer coisa, mas que me fizesse feliz, o que seria?", ela contou, e depois, explicou: "eu me estimulava a não limitar minha resposta com a suposta realidade que eu vivia". Elizabeth insistiu que tudo o que queria era descobrir o que era preciso para que se sentisse realizada, feliz. "Primeiro, eu queria essa resposta, depois pensaria no jeito de torná-la uma realidade. E isso fez com que eu fizesse essa viagem", ela disse, e em seguida, concluiu: "Eu acho que essa é a pergunta que todos somos chamados a responder em determinado momento de nossas vidas: qual é a missão que nos trouxe aqui, e o que está nos impedindo de realizá-la?"

Aos 15 anos, Elizabeth havia definido o que queria ser na vida: ela queria ser uma escritora. Aos 30, ela percebeu que seu estilo de vida a estava desviando do seu sonho. Ela se deu conta de que se encontrava numa encruzilhada, seguindo um trote improvisado a partir do que via a sua volta, ignorando seu desejo mais profundo. Muitas vezes, vivemos assim a vida inteira. Com medo da resposta, evitamos perguntas. Esse medo nos limita, nos aprisiona a definições irreais, que mascaram nossa insatisfação, mas que não nos satisfazem. Insatisfeitos, arrastamos essa carga falsa por todo lugar. Em outras palavras, relutamos em nos desfazer das coisas que construímos ao longo do tempo — a casa grande no subúrbio, o sonho de ter um filho em determinado ano, o cônjuge, a carreira que iniciamos —, tudo com medo de enfrentar o novo. Enquanto vivermos num mundo de suposições e análises externas, não poderemos atingir respostas efetivas. Nossa incerteza sobre nós limita nossa curiosidade acerca do que somos capazes. Por isso, a solução dos nossos problemas deve partir de dentro.

A história de Elizabeth é interessante porque é um exemplo prático do que falamos nos dois primeiros capítulos do livro. Ou seja: enquanto ela seguia o trote normal das pessoas a sua volta, sentia-se insatisfeita e decepcionada, sua vida parecia ter perdido o sentido. Mas quando ela se voltou para a busca do seu desejo interior, ocorreu uma mudança profunda, que deu um sentido novo a sua vida. Mas há outro ponto-chave: Elizabeth nos dá pistas claras de como construir essa busca interior. Esse é o objetivo desse capítulo: descobrir como construir um propósito que esteja alinhado com quem realmente somos.

A TEORIA DE DAVID RICARDO

No início do século 19, o economista inglês David Ricardo desenvolveu a base da teoria do livre comércio entre as nações. Essa teoria é fundamentada na ideia de que há uma única maneira de todos os países se beneficiarem das transações comerciais. Qual é essa maneira? Que cada país se especialize no produto onde detém maior vantagem em comparação aos outros.

Como exemplo, David Ricardo afirma que em Portugal é possível produzir vinho e tecidos com menos trabalho do que na Inglaterra. No entanto, o custo relativo de produzir tecido na Inglaterra é menor do que em Portugal. Ou seja: a Inglaterra tem um custo maior para produzir vinho e custo apenas moderado para produzir tecidos. Portugal, por sua vez, tem facilidades para produzir ambos. Mas, mesmo que seja mais barato produzir tecidos em Portugal, ainda seria melhor para o país produzir vinho, gerar excedente de produção e comprar tecidos fabricados pelos ingleses. Nesse caso, diz David Ricardo, a Inglaterra se beneficiaria deste comércio, pois o seu custo de produzir tecidos permaneceria o mesmo, mas obteria vinho a custos menores do que antes. Portugal também se beneficiaria da especialização em vinho e obteria ganhos de comércio. Em outras palavras, David Ricardo sugere que cada país se concentre em um nicho de mercado baseado na sua vantagem comparativa em relação a outros países, beneficiando-se, dessa forma, em setores nos quais é mais eficiente e comercializando esses produtos com outros países. David Ricardo chamou essa teoria O Princípio das Vantagens Comparativas.

Faça uma ginástica mental e traga esse conceito para nossa realidade individual. Imagine um mundo onde cada pessoa tenha a oportunidade plena de desenvolver seu talento ao máximo. Suponha, por exemplo, que seu talento fosse a pintura e que você tivesse à disposição tudo o que é necessário para desenvolver esse talento. Nesse caso, seu propósito, ao longo da vida, seria aprimorar essa habilidade com conhecimento, técnica e prática. Agora, imagine que isso se repetisse com todas as pessoas, em todas as áreas. Cada pessoa desenvolvesse o melhor que há em si e oferecesse o que produz para a troca. Será que esse princípio não alteraria a história da humanidade? De acordo com a teoria de David Ricardo, cada país seria beneficiado caso se especializasse no produto onde detém maior vantagem comparativa. Isso melhoraria a situação de todos os países envolvidos nas trocas internacionais. Se, da mesma forma, cada pessoa desenvolvesse suas capacidades, se especializasse na área onde está seu talento natural, o mundo todo não se beneficiaria? E por que não é assim?

Toda pessoa quer, naturalmente, ser tudo o que pode ser. Esse desejo é intrínseco à natureza do ser humano. Não há como fugir dele, porque esse é o objetivo último da natureza. O sucesso da vida está em nos tornarmos tudo o que somos capazes. Em outras palavras, o desejo pelo sucesso é, na verdade, o anseio inato por uma vida mais produtiva, próspera e abundante, dentro de nossas capacidades. Por que, então, se a ambição pela evolução é inata, ela é tão rara entre os humanos? Por que tantas pessoas vivem sem atingi-la?

O problema está na maneira como fazemos as escolhas mais importantes de nossa vida. Na hora de definir nosso propósito, ao invés de olhar para nossos talentos e ver onde estão nossas vantagens individuais, cometemos o erro de olhar para as circunstâncias externas. Observamos o que os outros estão fazendo, quais os resultados que eles estão obtendo, e fazemos nossas escolhas a partir dessa análise. Ou seja, ao invés de usar o Princípio da Vantagem Comparativa, usamos outro princípio: o da Análise Comparativa. Enquanto que no Princípio da Vantagem Comparativa seguimos nosso talento natural para definir nosso propósito, no Princípio da Análise Comparativa traçamos nosso caminho a partir da análise de fatores externos, alheios a nosso talento. Agindo dessa forma, ignoramos nossas vantagens pessoais e seguimos um caminho completamente estranho ao nosso talento. Anos depois, perguntamo-nos por que não deu certo. Por que as coisas são tão complicadas?

O sucesso nunca é resultado de fatores externos. Quando fazemos nossas escolhas observando qual o tipo de mercado que está em alta ou o que deu certo para os outros, é como se quiséssemos ir para uma determinada cidade, usando um mapa de uma cidade distinta, só porque a outra pessoa chegou onde queria, com esse mesmo mapa. Não percebemos que as cidades são distintas e que, numa cidade diferente, por isso, nunca chegaremos ao local desejado. Observe o caso das pessoas seguindo o caminho trilhado por Elizabeth Gilbert em busca de soluções para seus problemas, só porque ela encontrou resposta para os dela. Essas pessoas nunca obterão o mesmo resultado que Elizabeth, por um motivo muito simples: as perguntas não são as mesmas. O problema é que, muitas vezes, caímos na armadilha do Princípio da Análise Comparativa sem saber.

A INFLUÊNCIA QUE NOS TORNA IGNORANTES, PARTE 1

Se as respostas para nossas perguntas estão dentro de nós, deixar-se influenciar por pessoas e fatores externos pode ser fatal para o sucesso e a felicidade na vida. Você já se perguntou até onde a influência das outras pessoas é responsável pelas suas escolhas mais importantes? Será que a influência de outra pessoa é capaz de alterar sua opinião mesmo sobre coisas que você tem certeza, só porque a opinião dele é contrária a sua? Antes de responder, analise o estudo a seguir.

Na década de 50, Solomon Asch, um professor de psicologia da Universidade de Swarthmore, na Pensilvânia, quis saber com precisão até onde somos influenciados, em nossas decisões, pelas opiniões de outras pessoas. Solomon selecionou um grupo de estudantes voluntários, dizendo-lhes que participariam de um estudo sobre acuidade visual. Ao mesmo tempo, ele contratou seis jovens atores, que também participariam da experiência. Ao longo do estudo, Solomon colocou cada estudante, individualmente, junto a um grupo de atores contratados.

O teste era muito simples. Numa cartolina, Solomon mostrou três linhas verticais de diferentes tamanhos. A linha da esquerda tinha dois centímetros. A do meio, cinco, e a da esquerda, três. Em seguida, apresentou uma segunda cartolina com apenas uma linha. Essa tinha cinco centímetros, exatamente igual à linha do meio da primeira cartolina.

A seguir, Solomon solicitou aos alunos que dissessem em voz alta qual das três linhas anteriores mais se identificava, em tamanho, com a quarta linha. A resposta, como você deve ter percebido, era simples e absolutamente inconfundível.

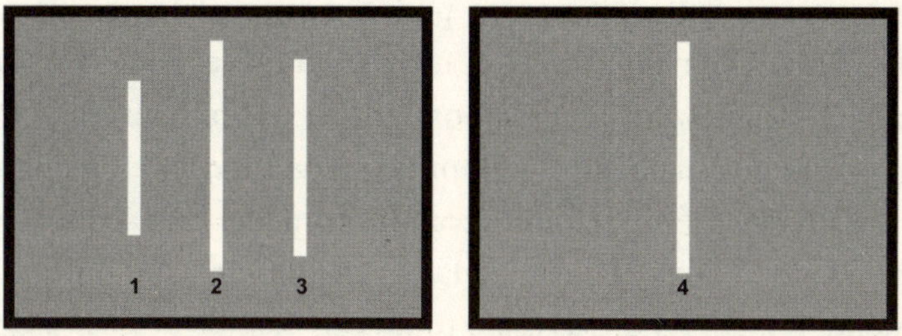

A questão é que Solomon havia combinado com os seis atores contratados que, de forma unânime, optassem pela mesma resposta. A resposta escolhida, no entanto, era uma resposta errada. Ao invés de dizer que a linha 4 tinha o mesmo tamanho da linha 2, eles disseram que ela tinha o mesmo tamanho da linha 3. Apesar da evidência da resposta, quando chegou a vez do estudante voluntário, estranhamente, ele concordou com o grupo, optando pela alternativa errada. Solomon repetiu a mesma experiência com 130 estudantes. Apesar da absurda incoerência 75% deles mantiveram-se fiéis à resposta dos atores.

Num segundo estudo, Solomon seguiu exatamente os mesmos procedimentos do anterior. Um estudante foi colocado no meio de um grupo de atores, orientados a dar a resposta errada. Mas desta vez, ele acrescentou ao grupo de atores um que divergisse dos demais, optando pela alternativa correta.

O resultado foi surpreendente. O fato de o estudante voluntário ter uma única pessoa divergindo do restante do grupo foi o suficiente para alterar o resultado em índices absolutos. Agora, em todos os casos, o estudante escolhia a resposta certa. É estranho como existe em nós uma tendência natural de seguir o Princípio da Análise Comparativa.

A INFLUÊNCIA QUE NOS TORNA IGNORANTES, PARTE 2

Suponha, por exemplo, que você tenha recém-chegado numa cidade desconhecida. É a hora do almoço, e está à procura de um restaurante. O local onde você se encontra é justamente a área gastronômica da cidade. O primeiro restaurante pelo qual passa possui uma aparência impecável. O ambiente é limpo, bem iluminado, discreto e agradavelmente decorado, mas está vazio. O mesmo acontece com o segundo e com o terceiro. O quarto, entretanto, não possui nada em comum com os anteriores. Seu ambiente é escuro, sua aparência é suspeita, os cuidados com higiene não parecem ser os mais apropriados. Há, porém, um detalhe: ao contrário dos outros, este está praticamente lotado. As mesas estão todas cercadas de pessoas alegres, aparentemente satisfeitas. O que você faria? Se você é como a maioria, quando mal percebe, já estará sentado numa das poucas mesas vagas.

Por que isso acontece? Porque essa é a maneira como fazemos nossas escolhas. Somos seduzidos pela análise comparativa. Quando vemos um restaurante lotado nossa mente o compara aos outros, que estão vazios, e conclui: "a comida desse restaurante deve ser fantástica". Na maioria de casos como esses, a análise comparativa parece um padrão natural. Nós a usamos diariamente para fazer escolhas. Como no exemplo acima, deduzimos que, se as pessoas escolhem um restaurante evitando outro, aquele que elas escolheram deve ser o melhor. Mas nem sempre é assim?

Imagine, por exemplo, que seu prato preferido seja filé de peixe com salada de alface. Ao avaliar o cardápio do restaurante lotado, você descobre que a casa só oferece bife com fritas. Você olha a sua volta, é o que todo mundo está comendo. Você pensa um pouco e decide, mesmo contra a vontade, escolher um bife a milanesa com batatas. Afinal, essa é a sua única opção. Certo?

Mais tarde, você pergunta duas coisas ao garçom. Primeiro, quer saber o segredo do sucesso do restaurante; depois, o motivo pelo qual os outros estão vazios. O garçom sorri, e diz: "Há uma tradição na cidade, seguida pela maior parte da população, de comer bife com fritas às quartas-feiras. Hoje é quarta-feira, e nossa especialidade é bife com fritas. Os outros restaurantes oferecem apenas variedades de peixes". O garçom faz uma pausa, depois conclui. "O movimento que você percebe só acontece às quartas-feiras, quando os outros estão vazios. No restante da semana, os outros estão lotados e o nosso, vazio". Você deixa o restaurante desolado, insatisfeito e dizendo a si mesmo como pode ter sido tão estúpido e não ter se informado antes.

A diferença entre o Princípio da Vantagem Comparativa e o Princípio da Análise Comparativa é que o primeiro parte da profunda compreensão das nossas vantagens pessoais, enquanto o segundo tem sua estrutura fundamentada em suposições que criamos a partir do que vemos. Pessoas que alcançam resultados extraordinários sempre optam pelo Princípio das Vantagens Comparativas. Dessa forma, elas criam uma legião de seguidores que, usando o Princípio da Análise Comparativa, percebem os resultados que as outras pessoas alcançaram e tentam seguir o mesmo caminho, imaginando que terão os mesmos resultados, mas isso sempre será frustrante.

A LEI DA TRIPLA CONVERGÊNCIA

Você se lembra da história das irmãs Polgar, vista no primeiro capítulo? Desde muito cedo, elas foram treinadas, instruídas e educadas com o propósito específico de se tornarem as melhores no xadrez. Em consequência de uma vida inteira de árdua dedicação ao estudo e à prática do xadrez, elas conseguiram chegar quase ao topo. Mas antes de chegar lá, desistiram da carreira. Agora, compare a história das irmãs Polgar com a história de Elizabeth Gilbert. Elizabeth, a certa altura da vida, decidiu resgatar seu sonho, sem se importar com as consequências. Em outras palavras, ela renunciou a um estilo de vida pelo seu sonho. As irmãs Polgar, ao contrário, abandonaram seu sonho, por um estilo de vida. A certa altura do caminho, elas chegaram à conclusão de que a vida é muito mais do que uma carreira, ou, pelo menos, do que a carreira no xadrez. Por que isso ocorre?

A resposta está na maneira como ambas construíram seu propósito. Nesse capítulo, vamos analisar como as pessoas que têm sucesso e felicidade em sua vida constroem seu propósito. Do vício da análise comparativa, vamos fazer o giro e nos focar no desenvolvimento do hábito de usar o Princípio da Vantagem Comparativa para construir nosso Conceito Kelleher. Um bom começo é compreender o que difere a história de Elizabeth Gilbert com a das irmãs Polgar: Ambas tiveram um propósito definido e seguiram um longo caminho para concretizá-lo. Mas, no final, como vimos, os resultados foram muito distintos. Onde está o erro das irmãs Polgar? A resposta está no núcleo central do propósito. Para construir um Conceito Kelleher que reflita o núcleo das nossas habilidades, precisamos encontrar o ponto de convergência da resposta de três fatores:

1. Onde está seu talento?
2. Qual é sua paixão?
3. Como você transformará isso em renda?

A convergência desses três fatores — talento, paixão e renda — forma a Lei da Tripla Convergência. É o cumprimento dessa lei, ou não, na hora de definir o propósito, que fará toda a diferença, é ela que distingue histórias como a de Elizabeth Gilbert e das irmãs Polgar. Elizabeth construiu seu propósito a partir da compreensão pessoal desses três fatores. Ela descobriu, por meio de reflexão profunda, o ponto exato onde talento, paixão e renda convergem. As irmãs Polgar tiveram seu propósito estabelecido pelo pai, Laszlo. E de onde ele retirou esse propósito? Da análise de que o xadrez seria uma prática adequada para realizar sua experiência. O erro de Laszlo, portanto, foi ignorar a individualidade das filhas na elaboração do Conceito Kelleher. A técnica e prática excessivas, somadas ao estímulo obtido quando alguém se torna excelente em algum esporte, as tornaram grandes jogadoras. Mas a falta de um ou mais fatores que compõem a Lei da Tripla Convergência as fez desistir e optar por outros tipos de negócio.

A LEI DA TRIPLA CONVERGÊNCIA:

Explorar o melhor que há em nós é uma tendência lógica. Mas temos dificuldades de entender, de forma exata e clara, onde está nosso potencial. Sem essa compreensão, nos sentimos inseguros, falta-nos a autoconfiança de que somos capazes, de que possuímos as habilidades necessárias. Respondendo a essas três questões de maneira séria, descobriremos nosso potencial e, por consequência, eliminaremos a insegurança gerada pela incerteza. Qualquer pessoa que compreenda a Lei da Tripla Convergência e invista tempo e recursos para desenvolver seu talento atingirá resultados excepcionais.

Alcançar o ponto de convergência entre talento, paixão e renda, porém, pode não ser tão simples quanto parece. É preciso ter claro que não é o desejo, a meta, a estratégia ou a intenção de alcançar determinado propósito que o fará ter êxito. Esse propósito deve ser o resultado de uma compreensão clara da Lei da Tripla Convergência. Ele precisa ser o ponto exato onde os três fatores da lei convergem. Para facilitar essa tarefa, vamos analisar com mais detalhes cada um dos três fatores.

1. TALENTO

Muitas vezes, por praticarmos algo durante anos, criamos certa competência para essa tarefa e a confundimos com talento. Descobrir onde está nosso talento vai muito além daquilo no qual nos sentimos competentes. A competência pode ser resultado da prática. Suponha, por exemplo, que após longos anos de estudo em matemática, você se torne muito bom em cálculos. Isso significa que seu talento está na matemática? Não necessariamente. Você pode ter uma inclinação para o cálculo e a prática o tenha tornado muito bom, mas seu talento realmente está aí? Você passa horas e horas fazendo cálculos por pura vontade impulsiva?

Muitas vezes, iludidos pela armadilha da competência, seguimos carreiras onde alcançamos certo limite, mas nunca obtemos maestria porque nos falta o talento. Pense outra vez na história das irmãs Polgar. Elas são um exemplo prático. O que aconteceu? Elas se tornaram especialistas em xadrez, conquistaram um espaço razoável, mas nunca realizaram seu sonho que era vencer um campeonato mundial, e pior, desistiram da profissão, argumentando que havia coisas mais importantes na vida. Claro: havia um talento exigindo ser desenvolvido. Lembre-se: talento é aquela aptidão natural que o permite exercer determinada atividade, difícil de ser executada pelos outros, com tremenda naturalidade, sem limites de tempo. Por isso, talento é o impulso natural da evolução da vida palpitando em nós.

2. PAIXÃO

Você conhece alguma pessoa que parece ter um motor interno que a empurra? Que simplesmente avança pela vida? Que define um alvo e parece se divertir enquanto age para atingi-lo? Que possui uma energia contagiante? Essa pessoa, além de talento, tem paixão pelo que faz. Talento é o que define a ideia central se você se sente realizado ou não. O ponto-chave sobre o trabalho feito com talento é que ele flui naturalmente. Porém, dentro do campo do seu talento, tem algo pelo qual você sente um interesse irresistível, que é sua paixão. Escrever é um talento. Existem, porém, inúmeras formas de aplicar esse talento. Você pode, por exemplo, ser um jornalista, publicitário ou escritor, e, mesmo dentro desses campos, existem inúmeras opções. Para responder à segunda questão da Lei da Tripla Convergência, você precisa definir, entre essas opções, aquela pela qual você possui verdadeira paixão.

Há uma maneira muito simples de saber se você está atuando no campo da sua paixão: se você se perde no tempo enquanto trabalha, se não vê problema em chegar cedo ao trabalho e sair mais tarde; se está tendo prazer no que faz. O escritor John Irving, por exemplo, confessou, certa vez, que escrevia doze horas diárias, durante inúmeros dias consecutivos. Questionado sobre o que o fazia trabalhar por tanto tempo, ele disse: "O fator implícito é o amor. A razão pela qual consigo trabalhar tão duro é que escrever não parece trabalho para mim". Irving, além de talento, tinha amor, ou paixão, pelo seu trabalho. Pessoas que são apaixonadas pelo que fazem constantemente perseguem suas prioridades. Eles procuram com extrema tenacidade as coisas que faltam para atingir seus objetivos, e, assim que as encontram, imediatamente as enfrentam e as dominam, seguindo adiante. Mas é preciso ter cuidado: a resposta à segunda questão não se estrutura sobre aquilo que estimula sua paixão, mas aquilo pelo qual você é tão apaixonado que o faria sem nenhuma outra recompensa, a não ser o simples prazer de fazê-lo.

3. RENDA

Muitos anos atrás, o filósofo alemão Friedrich Nietzsche se perguntava se haveria, por acaso, algo que destruía alguém mais rapidamente do que trabalhar, pensar, sentir, sem uma necessidade interior, sem uma escolha profundamente pessoal, sem prazer? Isso não é novidade. O prazer da vida vem de dentro, da necessidade de desenvolver aquilo que arde dentro de nós: nosso talento e nossa paixão. Mas existe um terceiro fator indispensável para obter sucesso e felicidade na vida: renda. Sem esse fator, o seu talento e a sua paixão terão pouca serventia. Uma atividade que envolve apenas talento e paixão, mas não traz resultados financeiros, não é trabalho; é um hobby, e ninguém sobrevive do seu hobby.

Mas a notícia boa é que a possibilidade de encontrar o talento e a paixão e não conseguir transformar isso em renda é muito remota. O problema sobre esse fator é outro: a maioria das pessoas nunca chega a seguir a Lei da Tripla Convergência por que há uma tendência comum de se focar apenas na renda. A questão básica, na hora de escolher uma profissão, parece ser sempre o mesmo: como posso fazer dinheiro? A única forma de obter dinheiro é através da oferta de serviços e produtos. Nós trocamos nosso serviço ou produto por dinheiro, razão pela qual nossa renda sempre será proporcional à qualidade do nosso serviço. Quanto melhor for nosso serviço ou nosso produto, melhor será nossa renda. Isso significa, de maneira muito óbvia, que o sucesso não é consequência do dinheiro, mas o dinheiro é consequência do sucesso. Primeiro, precisamos alcançar o sucesso, para, depois, como consequência, obter dinheiro. Se você, por exemplo, voltar ao capítulo anterior, e analisar o propósito de Paulo Coelho, Gisele Bündchen, ou mesmo de Elizabeth Gilbert, verá que nenhum teve como foco determinada soma de dinheiro, mas, pelo contrário, o desenvolvimento de seus respectivos potenciais. Porém, o fator dinheiro está intrínseco em cada potencial.

Estabelecer um propósito com o foco exclusivo na renda é um erro, da mesma forma como é um erro ignorá-lo. Se você se tornar o melhor do mundo em alguma coisa, sem conseguir converter isso em resultado financeiro, chegará um momento em que terá de abandonar o que faz em prol de algo que lhe sustente. Por isso, ao criar o Conceito Kelleher, você precisa levar esse fator em conta. Não permita ser enganado por um discurso contrário. Ao estabelecer um propósito, o fator renda é tão importante quanto o talento e a paixão. A diferença é que, uma vez estabelecida a forma como você transformará seu talento e sua paixão em renda, você esquece o fator renda e se concentra, basicamente, no desenvolvimento dos dois outros.

A LEI DA TRIPLA CONVERGÊNCIA E O CONCEITO KELLEHER

Por tudo isso, elaborar um Conceito Kelleher não é desenvolver apenas um desses três fatores. Focar-se em apenas um desses fatores poderá até levá-lo a competência, ao destaque, mas nunca a excelência ou a felicidade. Para alcançar a excelência, você precisa encontrar o ponto de convergência entre os três fatores. É a partir dessa convergência que as pessoas com um desempenho extraordinário tomam suas decisões. Veja, por exemplo, Warren Buffet. Em 1998, ele aplicou US$ 290 milhões no Banco Wells Fargo. Ao ser questionado sobre o que o havia levado a fazer esse investimento, ele disse: "Eles persistem no que entendem bem e deixam suas habilidades, não seu ego, determinar o que eles devem atingir", ele se justificou. Observe bem: persistem no que entendem bem e deixam suas habilidades e não seu ego determinar seu propósito.

Para obter esse tipo de clareza de propósito, você precisa estar alinhado com a Lei da Tripla Convergência. Ela lhe oferecerá um terreno fértil e seguro para desenvolver o melhor que há em você. Esse propósito, porém, não pode ser a ambição de ser o melhor em relação aos outros, mas em ser o melhor que você pode ser. Em outras palavras, seu objetivo deve ser uma ambição de compreender aquilo no que você pode ser o melhor, levando em conta seu potencial. Essa ambição deve partir do Princípio da Vantagem Comparativa. Seu núcleo deve ser seu potencial, e não uma vontade com base em circunstâncias externas. Ter essa distinção clara em mente é absolutamente crucial.

A definição do Conceito Kelleher, como resultado da compreensão da Lei da Tripla Convergência, oferecerá um guia seguro para todas as suas decisões e esforços, como a busca de conhecimento, técnica e prática. A ideia é muito simples. Observe Gisele com seu conceito de "ser a top número 1 do mundo"; Elizabeth Gilbert, com o de "publicar alguma coisa, qualquer coisa, antes de morrer"; ou Paulo Coelho com o de "ser um escritor lido no mundo inteiro". O que eles têm em comum? Todos compuseram uma ideia simples, cristalina, estabelecida sobre o talento, paixão e renda, que usaram como conceito para as decisões em suas respectivas vidas. Essa atitude trouxe resultados impressionantes.

Reveja outra vez os questionamentos de Elizabeth Gilbert no início deste capítulo. Ao questionar seu propósito sem medo das respostas, Gilbert combinou e preencheu vários aspectos importantes de sua personalidade, retomando o foco no seu propósito enquanto expandia suas fontes de significado. No caso de Gisele, ocorreu a mesma coisa. No início de sua carreira, seu perfil não se adequava ao que estava em evidência no mundo da moda. Gisele tem um corpo delineado, cheio de curvas, com seios mais fartos, seu andar é cheio de ginga e sensualidade, o contrário do que se exigia na época, quando as modelos eram magras, quase esqueléticas, e o corpo tinha de ser reto, sem curvas e com o mínimo de seio possível. Imagine se ela tivesse baseado seu objetivo levando em conta as circunstâncias externas? Gisele manteve sua originalidade, ela não tentou se adaptar à moda, ela apenas seguiu o seu estilo, e por mais incrível que isso possa parecer, ela conseguiu fazer com que a moda adotasse o estilo dela.

ENCONTRE SUA SINGULARIDADE

Lembre-se: o fato de estarmos fazendo algo há anos não significa necessariamente que essa é a nossa habilidade. E se o que estivermos fazendo não representa o núcleo de nossa habilidade, é impossível atingir a excelência. Da mesma forma, o fato de alguma coisa ser uma oportunidade única na vida não tem importância alguma se essa oportunidade não está alinhada com o nosso propósito. Mas nós temos certa suspeita com esse tipo de afirmação. Temos medo de perder uma chance, e de não termos outra. Dizer "não" para grandes oportunidades exige tremenda disciplina. Mas sem essa disciplina, corremos um risco muito grande de andar em círculos.

Um caminho para entender esse processo é cavar um pouco mais fundo na história de qualquer empresa. Observe, por exemplo, o resultado da análise de três gigantes americanas no setor de vendas a varejo: Walmart, Target e Sears. Clientes, empregados, investidores, qualquer pessoa tem uma ideia clara sobre o que o Walmart e o Target têm para oferecer. O conceito do Walmart é fornecer aos consumidores um vasto sortimento de produtos de boa qualidade com o menor preço possível. A estratégia para viabilizar essa meta é reduzir ao máximo a diferença de custo entre o fornecedor e consumidor, e repassar essa economia ao consumidor através do preço final mais baixo. Iniciando com uma loja, Walmart possui cerca de seis mil e duzentas lojas espalhadas pelo mundo.

Em contraste, o conceito da Target é diferente. Suas lojas possuem uma aparência um pouco melhor, a atenção com os consumidores também é um pouco melhor, e a qualidade dos produtos também está um pouco acima dos oferecidos pelo Walmart. No entanto, mesmo que seus preços não sejam rentes ao chão, contando o fator custo e benefício, eles são bastante acessíveis. As duas empresas, tanto o Walmart como a Target, desenvolveram um conceito baseado no seu potencial e deixam claro, a qualquer cliente, qual é esse potencial.

Em contrapartida, vamos analisar o Sears, que desenvolveu seu propósito a partir de considerações observadas em fatores externos. Décadas atrás, as pessoas sabiam exatamente o que o Sears tinha para oferecer. Para o cliente, estava claro quem eram as concorrentes e quais as vantagens e desvantagens que a companhia oferecia em relação a essas concorrentes. Mas com o passar dos anos, a posição do Sears foi se tornando cada vez mais confusa, até que seu conceito interno se perdeu completamente. O efeito logo afetou seus clientes, deixando-os igualmente confusos sobre o motivo pelo qual deveriam ir até uma loja Sears, ao invés de ir às concorrentes. Como resultado, o Sears passou a perdê-los.

Quando os clientes começaram a trocar o Sears por outras lojas, a companhia, desnorteada, iniciou uma série de mudanças. Na década de 80, entrou para o setor de serviços financeiros; na década de 90, deixou os serviços financeiros e se focou mais no setor de ternos e roupas feitas; em seguida, desviou-se mais uma vez para o setor de ferramentas. Fechou suas lojas nos shoppings para abrir "lojas tudo-em-um", depois criou lojas separadas para o setor de móveis e ferramentas pesadas. Em 1995, encerrou suas vendas por catálogo que estava em atividade por cerca de cem anos. Em 2002, voltou a vender por catálogo. Primeiro, enfatizava marcas exclusivas, como Craftsman, DieHard e Kenmore, depois, adotou sua marca própria.

Em 2002, Alan Lacy assumiu a direção da empresa. Numa entrevista ao *Wall Street Journal*, ele reconheceu a crise de identidade da empresa e disse que sua primeira missão seria responder a uma questão-chave: por que um consumidor deveria ir ao Sears ao invés de ir à Target? A partir da resposta a essa questão, a companhia iria redefinir seu conceito. Em outras palavras, Alan Lacy propôs-se a descobrir: onde está nossa singularidade? Para responder a essa questão, a empresa teve de olhar outra vez para dentro de si e definir um propósito novo, que partisse do seu potencial.

Olhando isso sob outro prisma, a pergunta que Alan Lacy propôs ao Sears todos nós temos que colocar diante de nós e tentar responder. O que, por exemplo, você tem a oferecer? Por que sua oferta é melhor do que as outras opções disponíveis na concorrência? E como você poderá se especializar profissionalmente nesse setor? A resposta a essas perguntas nos levará, inevitavelmente, ao núcleo do nosso propósito, e se respondidas com humildade, certamente estarão embasadas na convergência do seu talento, paixão e renda.

Se você possui um escritório de advocacia, por exemplo, deve ter claro qual o motivo que fará o cliente procurar seus serviços e não os da concorrência. Se você tem um salão de beleza, o que você oferece ao consumidor que lhe diferencia dos outros salões? Não é a questão de ser melhor ou pior, mas a de ter algo além, diferente, que lhe distinga da maioria. E essa distinção precisa estar no plano criativo, e não no competitivo. O que isso quer dizer? Você precisa buscar essa distinção dentro de você, desenvolver seu potencial, e não tentar imitar o sucesso dos outros. Se essa diferença estiver fundamentada sobre seu talento, você o fará com paixão, e o sucesso financeiro será praticamente inevitável.

O PROCESSO COMO PARTE DO RESULTADO

Desenvolver a Lei da Tripla Convergência, porém, pode ser um processo demorado. E poucos exemplos, talvez, sejam mais evidentes da lentidão desse processo do que a trajetória da própria Gisele Bündchen. Observe a carreira dela. Primeiro, ela venceu a etapa em Porto Alegre, depois, ficou em segundo na etapa nacional, em São Paulo, o que a levou para a final mundial, em Ibiza, na Espanha, onde ficou entre as 10 melhores do mundo. Mas e daí?

Tudo o que ela tinha, a essa altura, era a suspeita do talento. Os resultados excelentes nesses concursos deram a ela fortes indícios de que essa era uma das suas habilidades. Ela teve essas primeiras constatações em outubro de 1994. A revelação mais significativa, porém, só aconteceu em 1998, quatro anos depois, quando venceu o *Prêmio Phytoervas Fashion de Melhor Modelo*. Durante esses quatro anos houve muito trabalho e pouco reconhecimento. "Ela foi muito recusada. Demorou a emplacar", diz Mônica Monteiro, ex-agente da modelo.

O que isso nos diz? Gisele não nasceu top número 1, ela se tornou top número 1. Mônica conta que, no início da carreira, Gisele não era a modelo perfeita para o mercado em voga na época. "Ela rebolava e mexia os ombros", diz. "Tentei corrigir essa mania dela, porque era uma época em que todas as garotas obedeciam à regra de andar sem movimento. Mas por mais que tentasse, ela não conseguia", confessa Mônica.

A primeira vez que Gisele apareceu numa capa internacional foi em março de 1998. A partir de então, seu visual começou a roubar o espaço do estilo anoréxico em alta na época. A afirmação definitiva veio um ano depois, em 1999, quando ela emplacou de uma só vez todas as capas e editoriais mais importantes do mundo *fashion*. Gisele desbancou de vez o visual antigo e impôs o estilo *à la Bündchen*. Mas lá já se iam cinco anos de muito trabalho. Perceba que, entre 1994 e 1998, Gisele obteve poucos resultados públicos. Um ano depois, porém, ela havia conquistado o mundo. É importante perceber que, ao longo desse processo, Gisele não concentrou esforços para se adaptar ao mundo da moda. Ela não competiu com ninguém. O que ela fez, ao longo desses anos, foi desenvolver o melhor que tinha dentro de si, e o mundo da moda se adaptou a ela.

SÍNTESE

Até aqui, falamos sobre conceitos indispensáveis para ter sucesso e felicidade na vida. Vimos como as pessoas de sucesso descobrem seu talento, investem nele, como elas desenvolvem uma visão clara sobre o que querem e, acima de tudo, sobre quem elas são. Por conhecerem-se a si próprias, elas têm consciência e clareza das suas convicções. Assim como Elizabeth Gilbert, elas assumem um postulado com seu propósito e constantemente buscam alinhar foco e propósito. Mas ao partir para a prática, como isso funciona?

CAPÍTULO 4

As três regras da primeira milha

Como uma fórmula simples pode fazer a grande diferença nos momentos mais críticos da vida.

NUM FINAL DE TARDE DO VERÃO DE 1973, NUM luxuoso escritório no centro de Los Angeles, dois produtores de cinema se encontraram com um jovem ator. Ambos os produtores tinham pouco mais de quarenta anos. Vestiam elegantes ternos escuros de grife italiana. Estavam no auge. Uma de suas últimas produções, *A noite dos desesperados*, estrelada por Jane Fonda, havia recebido dez indicações para o Oscar. Vinculados à prestigiosa *United Artists Studios*, eles eram a esperança de muitos artistas em início de carreira. Eles se chamavam Irvin Winkler e Robert Chartoff.

O ator, por sua vez, havia recém-chegado a Los Angeles. Tinha 30 anos. Vestia camiseta branca e calça jeans. Seus olhos eram caídos e sua voz, rouca. Quando falava, apenas um lado da boca parecia se mexer. Sua única participação no cinema era um papel secundário no filme *Os Lordes de Flatbush*, um drama sem sucesso contando a história de uma gangue que se tornou famosa nos arredores do Brooklin, pelos anos 50. Seu nome era Sylvester Stallone.

Quando Stallone decidiu visitar o escritório de Winkler e Chartoff, ele estava desempregado. Seu carro havia pifado dias antes e ele dependia de carona para se locomover. Sua esposa estava grávida do primeiro filho. As coisas iam mal. Muito mal. Tão mal, que, dias antes, ele pregou um anúncio no mural de uma loja de conveniência. Estava tentando vender seu cachorro de estimação. A entrevista com os dois produtores era uma esperança impulsiva de conseguir trabalho. "Demos a ele 15 minutos", conta Chartoff. "Até gostamos do cara, mas não sabíamos o que fazer com ele". Após ouvir pela milésima vez que não havia trabalho de ator para ele, antes de fechar a porta, Stallone se voltou para os produtores. Iria arriscar uma última jogada. "Eu também escrevo roteiros", ele disse. "Por acaso, se importariam em dar uma olhada num deles?"

Dois dias depois, Winkler e Chartoff receberam uma cópia de *Paradise Alley (A Taberna do Inferno)*, um dos últimos roteiros que Stallone havia escrito. O roteiro conta a história de três irmãos que, nos submundos de Nova York dos anos 40, lutavam para sair da miséria e melhorar de vida. Brutos, insensíveis e cheios de vícios, eles eram a atração de *Paradise Alley*, uma taberna frequentada pela escória da sociedade. "O roteiro precisava de alterações, mas tinha um estilo marcante", lembra Winkler. "Honestamente, quando lemos o texto pensamos que o talento dele era escrever".

Stallone descobriu sua paixão pelo cinema na escola. "Foi a primeira vez, em toda minha vida, que eu havia feito algo de que gostei e que não era ilegal", conta, comparando a experiência a sua infância complicada e dura. Sua história de dificuldades começou ainda durante o parto, quando o fórceps usado pelos médicos atingiu um dos seus nervos faciais. A lesão impôs uma aparência estranha ao seu rosto. Mais tarde, a paralisia também afetou a voz e a maneira de falar. Stallone passou a maior parte da infância no Queens, em Nova York. Aos 15 anos, já havia sido expulso 14 vezes da escola. Devido ao seu comportamento, foi obrigado a frequentar uma escola para jovens problemáticos no Estado da Pensilvânia. Depois, matriculou-se na faculdade de artes dramáticas, mas os professores o orientaram a escolher outra profissão. Ele desistiu do curso, mas não do seu sonho. Após uma breve temporada *hippie* pela Europa, retornou a Nova York em 1969, decidido a se tornar ator.

Ao longo de quatro anos, ele realizou testes em praticamente todas as agências de *casting* de Nova York. Ninguém o aceitou. Enquanto buscava um trabalho no cinema, para ganhar dinheiro, trabalhava ora como segurança, ora como garçom, ora como limpador de jaulas do jardim zoológico do Brooklin. "Posso afirmar, sem exagero, que, entre 1969 e 1973, havia sido rejeitado por todas as agências de Nova York. Em algumas, não menos de dez vezes", conta. Numa ocasião em que perambulava por Nova York, entrou na Biblioteca Pública para fugir do frio. Sentou-se numa mesa e começou a ler um livro de contos de Alan Poe. Naquele mesmo momento teve uma ideia: e se escrevesse roteiros? No início de 1974, finalizou sua primeira história. Ele mesmo classificou-a como ridícula. Mesmo assim, o trabalho deu-lhe um sentido novo. "Pela primeira vez na vida eu havia concluído algo. Diante de mim, eu tinha 130 páginas que eu havia escrito". Naquele ano, escreveu outra dezena de roteiros.

No final de 1974, surgiu uma oportunidade para atuar como ator. O filme era uma produção barata, com orçamento de US$ 100 mil, chamado de *Os Lordes de Flatbush*. "Meu cachê era insignificante, mas era mais do que eu recebia limpando jaulas no zoológico", lembra Stallone. Com a pequena quantia de dinheiro que recebeu, mudou-se para Los Angeles. Em Hollywood, retomou sua peregrinação pelas agências em busca de um papel. Os resultados, no entanto, continuavam decepcionantes.

Uma luz se acenderia no dia 24 de março de 1975. Num bar de Los Angeles, Stallone assistiu a uma luta de boxe entre Muhammad Ali e Chuck Wepner. "De certa forma eu me identifiquei com Chuck Wepner. Aquele homem apanhava muito. Cada vez que caia, todos pensavam que a luta estava no fim, mas lá estava ele, em pé no ringue, todo machucado, sangrando, mas não desistia", contou Stallone mais tarde. No caminho de volta para casa, ele pensou muito sobre a luta. A similaridade entre a sua história e a da Wepner parecia querer lhe revelar algo grandioso. Mas ele não sabia o quê. Pensou em escrever sua história pessoal; sabia, porém, que contar o fracasso de um homem que buscava ser ator era um assunto que a média das pessoas não dá sequer cinco minutos de atenção. Precisava algo mais intenso, envolvente. Teve uma ideia: escreveria um roteiro sobre um lutador de boxe.

Quando chegou em casa, sentou-se numa mesa velha na garagem. Com uma caneta *Bic* e um caderno de espiral, começou a escrever a história de *Rocky, o Lutador*. Em três dias, a primeira versão do roteiro estava pronta. Nos dias que se seguiram, Stallone apresentou o novo trabalho a Chartoff e Winkler. Depois de meses de alterações, o texto estava pronto para enfrentar o concorrido mercado de Hollywood. Chartoff levou a ideia para apreciação da *United Artists Studios*, pedindo um orçamento de US$ 2 milhões. A *United Artist* se interessou pelo roteiro. Ofereceu US$ 20 mil pelo direito de usá-lo. Stallone aceitou a proposta, mas impôs uma condição: ele iria atuar como Rocky Balboa. A *United Artists Studios* recuou. Disse que não iria investir tanto dinheiro para produzir um filme com um protagonista desconhecido. O papel de Rocky Balboa, segundo o estúdio, deveria ser dado a um ator famoso, e sugeriram nomes como Ryan O'Neal, Paul Newman ou Al Pacino.

Enquanto Stallone negociava o roteiro, em casa o cerco foi se fechando. Sua esposa estava grávida e não havia dinheiro para comprar comida. A saída era vender seu cachorro. E foi então que pegou o cachorro e saiu na rua oferecendo o animal. "Naquele dia eu sentei na rua e chorei por um longo tempo", ele conta, lembrando que teve de entregar o animal que mais amava por ridículos US$ 140. Dias depois, a *United Artist Studios* aumentou a oferta. Iria pagar US$ 200 mil pelo *script*, mas queria Stallone fora do elenco. Stallone recusou, insistindo no papel principal. Eles subiram para US$ 210 mil. Stallone recusou. Foram para US$ 235 mil, US$ 245 mil, depois US$ 255 mil, mas Stallone persistia na sua condição de fazer o papel de Rocky. Chartoff ficou furioso, julgava a posição de Stallone absurda.

A certa altura, Stallone lembrou-se de que estava quebrado e pediu um tempo para pensar. Deu uma volta em torno do prédio. Falou com sua esposa pelo telefone, e ela insistiu que ele vendesse o roteiro. A oferta pelos direitos de usar o *script*, US$ 255 mil, lhes daria uma segurança financeira provisória. Em Hollywood, uma vez que alguém vende um roteiro por esse valor, se solidifica como roteirista, porém Stallone não queria ser roteirista.

Os argumentos de sua esposa aflita quase o fizeram mudar de ideia, mas ele resistiu a tudo em prol do seu sonho. "Cheguei a uma estranha conclusão de que o dinheiro não é nada", ele revelou. "Eu dizia para mim mesmo: não venda esse *script*, se o fizer, vai se odiar pelo resto da vida!"

No outro dia, Stallone voltou à agência. A oferta da *United Artists Studios* havia subido para US$ 340 mil. Ele olhou para os agentes e, depois de alguns minutos de hesitação, obteve a coragem necessária para dizer-lhes o que realmente sentia. "Eu prefiro queimar esse roteiro, enterrá-lo, jogá-lo no mar, qualquer coisa, mas não deixar que alguém atue no papel de Rocky", disse. "Eu escrevi esse roteiro para mim, e mesmo que o preço suba para meio milhão, ou para US$ 1 milhão, que seja, não vou vender esse *script*, se eu não atuar no papel de Rocky". Era sua última posição. Finalmente, dias depois, os dois produtores voltaram a procurar Stallone. Traziam uma nova proposta. Stallone ficaria com o papel de *Rocky*, mas o preço do roteiro foi reduzido para os simplórios US$ 20 mil originais. Stallone, porém, obteria ainda uma comissão sobre os eventuais lucros do filme.

A PRIMEIRA MILHA

O céu da Flórida estava extremamente azul. Na área de observação, cerca de cinco mil convidados não tiravam os olhos do horizonte. Nas estradas que circundavam o Kennedy Space Center, centenas de empregados da NASA, acompanhados pelos familiares, faziam o mesmo. A milhas de distância, nas praias e estradas próximas ao centro espacial, mais de um milhão de espectadores formavam a maior concentração de pessoas à espera de um simples evento que a história já presenciara. Na extremidade superior do foguete Saturno V, Apollo 11 repousa em silêncio. Pouco depois do meio-dia, enfim, a nave é lançada. A bordo, os três astronautas que teriam a missão de levar o homem à Lua.

A decolagem é turbulenta, monstruosamente turbulenta. Apollo 11 foi programada para uma missão de oito dias, mas cerca de 80% da energia é consumida, no entanto, nesses primeiros minutos, durante essa turbulenta arrancada. Há dois fatores que justificam esse consumo: primeiro, a nave precisa romper a força da gravidade, segundo, na arrancada, ela carrega todo o seu peso bruto, principalmente o do combustível usado para romper a gravidade.

Na vida, da mesma forma, a decolagem exige tremenda energia. Primeiro, precisamos romper a gravidade que nos cerca. Precisamos sair da zona de conforto. Segundo, carregamos todo o peso do talento bruto, muitas vezes, irreconhecível aos olhos do mundo. E mesmo que tenhamos um talento notável, e um propósito definido de forma clara, há uma série de outras virtudes necessárias. Nós só conseguiremos assimilar essas virtudes ao longo do caminho.

Observe o exemplo de Sylvester Stallone. Ele demorou dez anos para conseguir um papel, na verdade, foi necessário que ele criasse um papel para si próprio, lutasse de maneira obcecada por ele. Depois disso, sua carreira foi um estouro. No caso de Gisele Bündchen, não foi diferente. Ela nasceu em Horizontina, um pequeno município no noroeste do Rio Grande do Sul. A sede do município, como qualquer outro dessa região, é pouco mais do que uma vila no meio de um oceano de plantações de soja, milho e trigo. Sua população é de 19 mil habitantes. Destes, um terço está espalhado pelo interior. Pessoas que, como o pai de Gisele, vivem a vida inteira ali, possivelmente conhecem todos os moradores do município. O povo é cortês, educado e gentil. Na rua, alguém que nunca tenha visto antes, ao cruzar com você, o cumprimenta com um sorriso. O contrário seria considerado uma extrema falta de respeito. Viver ali é tranquilo, confortável e seguro.

O problema é que o mundo da moda não acontece em Horizontina. Aliás, nem mesmo em Porto Alegre, a capital gaúcha. Alguma coisa, mas muito pouca, acontece em São Paulo. Os verdadeiros endereços do mundo da moda são Paris, Milão, Londres e, especialmente, Nova York. E Horizontina, nesse caso, fica longe de tudo. Aliás, muito longe. O município está localizado a mais de 500 quilômetros de Porto Alegre. E se você considerar São Paulo serão 1.200.

A carreira de modelo começa muito cedo: aos 13 ou 14 anos. Isso significa que, se você mora em Horizontina, e tem uma filha que quer ser modelo, terá de largá-la, ainda no início da adolescência, na estação rodoviária da cidade. Terá de vê-la tomar o ônibus que irá coletar pessoas em outras dezenas de cidades e chegará a São Paulo 36 horas depois. E se você, como Gisele, é a menina que quer ser modelo, a história é bem mais complicada!

Para começar, com que motivação você deixa, aos 13 anos, a família, as amigas, o colégio, o calor e a calmaria de uma cidade como Horizontina para enfrentar São Paulo, com uma população de 22 milhões de habitantes? Para ter uma ideia da diferença, considere apenas um dado: a frota de veículos de Horizontina é de oito mil. A da capital paulista? Seis milhões. São Paulo assusta qualquer adulto que a vê pela primeira vez. Imagine então, uma menina de 13 anos. "Conheço meninas que chegam, veem o tamanho da cidade, alguém fala para pegar um ônibus e elas ligam: mãe, eu quero voltar", conta Mônica Monteiro, ex-modelo e agente da IMG, com endereço em São Paulo.

Quando Gisele viajou sozinha para São Paulo pela primeira vez, aos 14 anos, ela teve a carteira roubada. "Meu pai havia me dado cerca de R$ 150. Era para apanhar um táxi até o apartamento onde eu ficaria com outras modelos. Mas pensei: vou de metrô", ela conta. A intenção de Gisele era economizar dinheiro para comprar roupa, porque as que ela usava eram das suas irmãs. "Pensei que estava sendo esperta. Quando cheguei à estação, abri minha bolsa, e minha carteira havia sumido", lembra. "Eu não tinha idéia que alguém poderia me roubar."

Este, entretanto, foi apenas o início de uma longa jornada de frustrações. Gisele demorou oito meses para conseguir os primeiros contratos. Antes disso, amargou muitos nãos, pegou muito ônibus, suportou muita saudade, bateu em muitas portas pedindo trabalho e passou horas e mais horas lendo livros à espera do retorno de alguma agência, sem obter sucesso. Um dia, depois de retornar do Japão, onde havia feito alguns editoriais de moda, ela sentiu o impacto. "Fiz uns duzentos *castings* e fui recusada em quase todos. Por pouco não voltei para Horizontina", Gisele lembra.

E não são poucas as que tentam e retornam para suas casas desoladas. Todo ano, milhares de aspirantes a modelos são levadas por olheiros para São Paulo. Reveladas pela sua beleza, elas são dentre 30 mil a 50 mil por concurso. Quase todas desistem antes de ver seu rostinho estampado numa página de revista. Para ter dados mais específicos, de cada dez selecionadas, em dois anos, apenas duas continuam. Se for verdade que uma jornada de mil milhas começa na primeira milha, a maioria desiste muito antes de concluir a primeira milha. Considerando que não há dúvida de que muitas delas têm talento, a maioria é linda e obcecada pelo sonho de ser modelo, a conclusão óbvia é que talento e propósito não são tudo. O que torna, então, a carreira de modelo tão seletiva? O que leva tantas meninas a desistir tão rapidamente do seu sonho?

A resposta, em parte, está no estudo realizado pelo psicólogo paulista Marco Antonio De Tommaso. Para tentar entender o problema, De Tommaso entrevistou e acompanhou o passo de centenas de principiantes a modelo durante um ano. O problema apontado por De Tommaso, ao contrário do que muitas vezes se imagina, não é nenhuma deficiência estética, intelectual ou mesmo de caráter. O que as tira do jogo são sentimentos como a ansiedade, a dificuldade de adaptação, o medo de não dar certo e o despreparo diante do não.

Mas essa explicação, por si só, não faz muito sentido. Na verdade, ela não responde à pergunta. Permanece na superfície do problema. Confunde os efeitos com as causas. Para compreender o motivo real, é preciso cavar mais fundo na questão. É preciso encontrar as razões pelas quais elas passam pelos problemas apontados por De Tommaso. Mas antes, observe o seguinte detalhe: mesmo que você nunca tenha pensado em ser modelo, tenho certeza de que conhece cada um desses fatores por experiência própria. Esses sentimentos não são estranhos a nenhum de nós. E em que momentos eles se manifestam de forma mais intensa? Quando estamos sob pressão. Geralmente, diante de um fator desconhecido.

Tente lembrar, por exemplo, como você se sentiu quando prestou vestibular? Os minutos antes, na ante-sala, à espera da entrevista para o seu novo emprego? O medo de falar em público? Nosso futuro se decide quando estamos sob estresse intenso. Diante de uma situação que exige de nós uma prova maior, e não na monotonia do dia a dia de nossas vidas. Em outras palavras, considerando uma jornada de mil milhas, nosso sucesso ou frustração se decide, quase sempre, durante a primeira milha. É ali que encontramos as maiores dificuldades. Nesse capítulo, vamos analisar cada uma dessas dificuldades e ver como poderemos superá-las.

A LUTA DE UM GÊNIO

Você se lembra da primeira vez que ouviu falar de Gisele Bündchen ou de Sylvester Stallone? No nosso dia a dia, a toda hora, ouvimos falar de pessoas de sucesso, mas elas aparecem como se tivessem caído prontas do céu. Geralmente, as vemos como indivíduos excepcionais, que flutuam por caminhos onde nós facilmente atolaríamos. Pensamos que sua biografia não é composta por dificuldades, mas esse é um dos principais motivos que nos impedem de ver as coisas como elas são. Assim como temos uma tendência de achar que a grama no jardim do vizinho é mais verde e macia do que a nossa, também acreditamos que o caminho das pessoas que alcançam sucesso na vida é pavimentado, não possui as curvas, os buracos e a péssima sinalização que existem no nosso. Mas, o que sabemos, de fato, sobre a vida dessas pessoas?

Se quisermos entender como elas chegaram ao sucesso, não basta falar de seu sucesso. Temos de analisar o modo como elas agiram, principalmente ao longo período em que construíram a base para o sucesso: a primeira milha. Analise, por exemplo, a história de um dos maiores gênios dos tempos modernos, Albert Einstein.

Em setembro de 1896, Einstein tinha 17 anos. Na época, havia deixado a Alemanha e se transferido para a Suíça. Quando estava por concluir o equivalente ao nosso Ensino Médio, escreveu que, se a sorte o ajudasse, passaria nos exames e iria entrar na Escola Politécnica de Zurique.

> Eu permanecerei lá durante quatro anos para estudar matemática e física. Suponho que me tornarei professor nesses campos da ciência, optando pela sua parte teórica. Aqui estão as razões que me levaram a esse plano. Eles são, acima de tudo, meu talento pessoal para a abstração e o pensamento matemático. Meu desejo também me leva para a mesma decisão. Isso é muito natural, qualquer um deseja fazer aquilo para o que ele tem talento.

Não é interessante que Einstein, o genial Albert Einstein, como qualquer um de nós, esperava contar com a sorte para passar nos exames? E mais: que, por outro lado, aos 17 anos, ele já sabia com absoluta convicção que iria ser professor no campo das ciências abstratas? Mais ainda: que era nas ciências teóricas que acreditava estar seu talento? Mesmo com essa convicção, entretanto, sua juventude não foi nada fácil. Em 1899, quando já havia ingressado na Escola Politécnica, seus problemas pareciam aumentar a cada dia. Ele sofria amargamente com a família que havia falido. Além disso, a saudade da namorada e as dificuldades no convívio social, causadas pela sua personalidade difícil, tornavam sua vida quase insuportável.

Certo dia, um de seus professores, Henrich Weber, o advertiu: "Você é um rapaz muito habilidoso, Albert. Um rapaz extremamente habilidoso. Mas tem um grande defeito: você nunca permitirá que alguém lhe corrija em nada". Outro professor, Jean Pernet, que lecionava Experimentos em Física para Iniciantes, deu a Einsten nota 1, a menor possível, como média final em sua disciplina. O desempenho de Einstein era tão insatisfatório, que Pernet quis saber por que ele buscava especialização em física. E sugeriu-lhe outros campos, como a medicina ou o direito. "Eu tenho ainda menos talento para esses assuntos. Por que, então, pelo menos, eu não tentaria minha sorte com a física?", Einstein replicou.

Numa de suas cartas escritas a sua irmã, naquele ano, ele desabafou:

> O que me deprime mais é a desgraça de meus pobres pais, que não tiveram um momento de alegria sequer, durante tantos anos. O que me machuca profundamente é que, como um homem adulto, tenho de olhar para a situação deles sem poder fazer nada. Não sou nada além de um peso para minha família... Seria melhor se eu nem tivesse nascido. Apenas o pensamento de que eu tenha feito sempre o que está em meu modesto poder, e de que eu não me permita um único prazer ou distração, salvo os que meus estudos me oferecem, me sustenta e por vezes me protege do desespero.

Observe que Einstein, apesar da dor de ver seus familiares empobrecidos, não abandonou seu propósito: os estudos na área das ciências abstratas, onde acreditava estar seu talento. Ele via na capacidade de desenvolver suas habilidades a única redenção de sua vida. Depois que concluiu seus estudos na Escola Politécnica, ele passou meses aguardando por uma vaga para lecionar. Durante a espera, Mileva, sua namorada, engravidou. Desempregado, sem dinheiro e sem ajuda, ele não tinha condições de sustentá-la. Teve de deixar Mileva, grávida, na casa dos pais dela. Lembre-se que, em 1900, uma mulher, grávida e solteira, era cruelmente discriminada. A sorte também estava contra ele. Ninguém tem dúvidas que seu talento era no campo das ciências teóricas, mas isso, naquela época, muito antes de ser uma vantagem, era um grande problema. No final do Século 19, as ciências teóricas estavam apenas nascendo. Era um campo muito vago. Não havia muitas necessidades de profissionais nessa área. Ter formação em ciências abstratas em 1900 era como estar formado em filosofia nos tempos atuais. Você está à deriva no mercado de trabalho. Desesperado, ele até pensou em desistir do seu sonho. Pensou em procurar qualquer trabalho e viver uma vida comum com sua esposa e filha. Essa seria a reação normal. Ninguém o condenaria por isso. E ele até tentou. Por um tempo, pensou em entrar no setor imobiliário. Por fim, mesmo a um preço incalculável, não se rendeu às circunstâncias e manteve o foco em seu sonho maior. Os dois permaneceram separados.

A filha nasceu. Mileva ficou com ela durante alguns meses. Depois a deixou sob cuidados da avó e foi morar com Einstein. Einstein e Mileva casaram. Quando, enfim, tinham condições de sustentar a filha, tentaram resgatá-la, mas já era tarde. No meio de todas essas turbulências, ela havia desaparecido. Einstein nunca a viu. Pior: ele nem ao menos teve certeza sobre o que aconteceu com ela.

Em síntese, o que a história de Einstein nos ensina? Ele passou pelos mesmos obstáculos que a maioria de nós, tendo resultados escolares, em inúmeras disciplinas, que não ultrapassaram a barreira da mediocridade. Claro, ele tinha uma mente privilegiada para a abstração, mas, talvez, não tão privilegiada como pudéssemos pensar. Nem tão mais privilegiada que a de outras tantas pessoas, as quais não tiveram a mesma persistência em relação ao seu propósito, nem a mesma determinação e disciplina na realização de seu objetivo. Como qualquer mortal, Einstein sofreu com a ansiedade, a saudade, as dificuldades de adaptação, a impaciência diante da rejeição e, em especial, as dificuldades em lidar com as incertezas.

AS TRÊS REGRAS

Entretanto, se esses problemas são comuns a todos nós, qual é o mistério que distingue aqueles que, como Einstein, seguem em frente, apesar das dificuldades, e aqueles que se deixam vencer por elas? A resposta está no que Robert Sternberg chama de Inteligência Prática, ou seja, o conhecimento que ajuda a interpretar as situações de modo correto e a obter o que se deseja. Em outras palavras, inteligência prática é o conjunto de habilidades específicas como as que levam alguém a se desvencilhar de comentários como "seu nariz é muito grande", ou "por que você não busca outra área, como direito ou medicina".

Posto de forma simples, todos lidamos com os mesmos problemas, a diferença está na maneira como reagimos a esses problemas. E o modo distinto de agir é muito mais sutil do que se pensa. A diferença está em pequenas escolhas feitas ao longo de um curto período de tempo. Uma parcela muito insignificante de escolhas é responsável pela grande maioria absoluta dos resultados. No início, essas escolhas são quase imperceptíveis, completamente aceitáveis, mas, em longo prazo, criam um abismo entre as pessoas.

Economistas falam seguidamente do Princípio 80/20, também conhecido como o Princípio de Pareto, descoberto em 1897 pelo economista italiano Vilfredo Pareto. A ideia é que, de uma maneira genérica, 80% dos resultados que obtemos estão relacionados com 20% dos nossos esforços. O princípio afirma que existe um forte desequilíbrio entre causas e efeitos, entre esforços e resultados e entre ações e objetivos alcançados. A vantagem de Einstein foi a mesma de Stallone, da escritora Elizabeth Gilbert, ou mesmo de Gisele. Ou seja: todos eles estabeleceram um objetivo específico levando em conta seu talento, paixão e propósito, e tiveram a disciplina necessária para percorrer a primeira milha de sua jornada, mantendo o foco na sua decisão inicial, independentemente das circunstâncias.

É interessante, nesse ponto, retomar o exemplo do lançamento do Apollo 11. Tanto Einstein, como os outros, tiveram enormes dificuldades ao longo da primeira milha. O consumo de energia foi enorme. Foi preciso romper a gravidade e locomover-se, com toda bagagem de um talento bruto, desacreditado. Mas, como o Apollo 11, aos poucos, essas pessoas foram desacoplando elementos que já não eram mais necessários. Uma vez rompida a gravidade, eles estavam prontos, lapidados. Esse é o desafio da primeira milha. Para vencer esse desafio, é imprescindível que você siga três regras básicas: as três regras da primeira milha.

REGRA 1
CRIE IMUNIDADE À REJEIÇÃO

Entre 1969 e 1973, Sylvester Stallone foi rejeitado literalmente por todas as agências de *casting* de Nova York. Em algumas, cerca de dez vezes. Aonde ia, ouvia sempre a mesma coisa: "Você têm uma aparência de tolo. Ninguém vai querer sentar na frente da TV e assistir alguém com cara de bobo falando pelo canto da boca, com uma voz rouca, quase incompreensível". À primeira vista, isso parece uma história que as pessoas contam depois que elas conquistam fama e sucesso. Uma forma de valorizar ainda mais o próprio passe. Mas não é. Stallone estava sendo sincero. Sua história é um exemplo de persistência incrível, que quase beira os limites da obsessão. "Nós atores temos em comum a ilusão de que vamos entrar no estúdio de um produtor e ele imediatamente dirá: olha só para ele! É justamente o cara que eu estava procurando! Ou que dirá algo como: ele não é o cara perfeito? Mas, em geral, o que eu ouvia era: tome uma ducha gelada e procure alguma coisa diferente!", conta Stallone. Depois, ele assumiu isso como um desafio. "Esse foi o momento em que realmente me invoquei pelo cinema: depois de ter recebido um número ridículo de rejeições", ele lembra. "E eu quero dizer rejeições clássicas, do tipo que a gente não pode nem pensar numa segunda tentativa".

Nem todas as agências fecharam a porta desta forma, é claro. Mas as poucas, cerca de cinco ou seis, que se propuseram a assinar um contrato (e que se diga: para algum papel muito secundário), acabavam em problemas. "Isso simplesmente parecia não funcionar para mim! Parecia que todos haviam sido treinados pelo mesmo técnico, para dizer sempre a mesma coisa. Sylvester: seja lá o que você tenha, ninguém parece estar interessado por isso, não existe mercado para seu produto. Você é um caso único. Você requer um tratamento especial. Não existe nenhuma procura para seu tipo em particular".

O que torna a história de Stallone especial é o que ele fez com essas recusas. Todo esse bater de portas na cara desenvolveu nele uma imunidade à rejeição. "Isso criou em mim certo senso de humor. Eu sabia que se eu não risse de tudo que estava acontecendo, com certeza, iria explodir". Durante a noite, ele trabalhava como segurança, limpava zoológico, ou fazia qualquer outra coisa para manter os dias livres e, assim, poder circular pelas agências em busca de um papel. "Eu mantinha viva em mim a crença de que, talvez, teria alguma coisa incomum, algo especial que eu pudesse vender. Mas o problema era encontrar um comprador para esse produto", Stallone lembra.

A regra número 1, *Crie imunidade à rejeição*, é exatamente sobre isso. Ao longo da jornada, a primeira milha é a prova de fogo. É o trajeto do caminho onde temos de enfrentar os muros que separam nosso talento do nosso sonho. Nesse trajeto, as vantagens parecem estar todas contra nós. Criar imunidade à rejeição é estar preparado para esses momentos. É identificar nossa habilidade, estabelecer um propósito específico, baseado no talento, paixão e renda, e manter-se focado nele o tempo todo, o quanto for necessário e não deixar que a rejeição nos impeça de avançar. Por mais desfavoráveis que as circunstâncias sejam, todas as escolhas precisam ter como foco nosso propósito específico. Se você analisar os exemplos das pessoas de sucesso que citei até aqui verá que todas têm uma coisa muito simples em comum. Elas rejeitaram qualquer ideia de desistência. Toda sua atenção estava focada nos intrincados pormenores do seu talento. Suas escolhas tiveram um único norte.

Visto em perspectiva, esse conjunto de pequenas escolhas, feitas de maneira organizada, faz uma diferença monstruosa. Você se lembra do Princípio de Pareto, que diz que 20% das causas são responsáveis por 80% dos resultados? O problema é que temos dificuldade com esse tipo de análise, porque o resultado final, o efeito, parece estar muito fora da proporção com a causa. Se cada causa cria um efeito, esse efeito, por sua vez, torna-se a causa de outro efeito. Cada vez que fizermos uma escolha, ela é realizada sobre a escolha anterior. Uma vez que você começa com a escolha errada, voltar ao caminho certo se torna cada vez mais difícil. Fazer escolhas não é um dom exótico. É a parte central do ser humano. Nós fazemos escolhas a cada segundo. Precisamos delas para sobreviver. É através delas que vamos construindo nosso caminho. Desistir, como persistir, nesse sentido, é a mesma coisa: apenas uma escolha. O que muda é o caminho pelo qual as escolhas nos conduzem.

Nossas escolhas basicamente são feitas em uma de duas direções: o da expansão ou da retração. O problema é que temos a tendência natural de fazer escolhas que facilitam o momento, que evitam os penosos e inseguros enfrentamentos da primeira milha. Mas essa é uma opção errada. Se não nos habituarmos a enfrentar as pressões da primeira milha, perderemos a grande oportunidade de expandir nossas capacidades que nos conduzirão ao resto da jornada. As dificuldades, quando enfrentadas, nos fazem desenvolver habilidades, e as habilidades promovem a expansão.

Considere, por exemplo, cada vez que você possui a oportunidade de falar em público. Você está num grupo e sente vontade de dizer alguma coisa, mas vacila e não fala. O que acontece? Você se retrai um pouco mais. Sua personalidade encolhe um pouco mais. Mas quando você fala, rompe o medo, enfrenta a forma como as pessoas vão receber o que tem a dizer e você se expande. Você se torna um pouquinho maior, um pouquinho mais confiante. A reputação que você tem de si mesmo aumenta um pouquinho mais. O que vai dizer, de fato, nesse momento, não tem grande importância. O que importa é que você vença a batalha interior. Que você rompa o invólucro do medo. Que você fale e perceba que nada de ruim acontece. Na medida em que você dá o primeiro passo, as coisas ficam cada vez mais fáceis. Na próxima vez que você for falar, vai ser um pouco mais fácil. E assim sucessivamente. A expansão promove o crescimento, a autoestima. "A autoestima não é algo que se possa elevar ou dar a alguém", disse Randy Pausch, ex-professor de ciências da computação da Universidade Carnegie Mellon. "A autoestima precisa ser criada, desenvolvida. E existe apenas uma forma de desenvolvê-la: ao deparar com algo que não se consegue fazer, trabalhar duro até descobrir que pode, e repetir o processo consecutivamente" afirmou Pausch. Se trabalharmos duro hoje, há coisas que por ora não conseguiremos fazer, mas amanhã poderemos realizar.

Observe as escolhas das pessoas que eu citei até aqui e verá que aquilo que as distingue da grande maioria é o fato de que suas escolhas são sempre no sentido da expansão. Não que elas não sintam medo, ansiedade, insegurança; nisso, todos somos iguais. A diferença está no que fazemos com esses sentimentos. Observe o caso de Gisele. No seu primeiro dia em São Paulo, ela ficou sem dinheiro, a pé, no meio da cidade. Mesmo assim, ela resistiu. O que isso disse a ela? Uma coisa muito simples: que o mundo não acaba diante dessas adversidades. Essas situações todas foram criando uma imunidade em relação a certos tipos de crises, que a ajudaram a enfrentar os oito meses de rejeição posterior. Quando alguém lhe disse que ela tinha um nariz muito grande e que isso prejudicaria suas fotos, ela não se intimidou. Estava imune a esse tipo de argumento. Aceitou-o como uma informação, mas não deixou que a afetasse emocionalmente, nem que roubasse seu sonho.

E o que ela fez com essa afirmação? Na prática, ela foi para o apartamento e passou a estudar os comandos dos fotógrafos, o tipo de iluminação ideal e seus melhores ângulos para a fotografia. Em pouco tempo, o nariz grande, seu ponto fraco, com a iluminação ideal, e sob o ângulo apropriado, tornou-se um de seus pontos fortes. Além disso, esse tipo de conhecimento teve inúmeras vantagens adicionais. Hoje, suas virtudes fotogênicas são uma de suas principais habilidades. Além dela, ninguém mais fala do "nariz grande demais", muito ao contrário, aos olhos dos mesmos críticos, ele se tornou charmoso. "Sou quem sou hoje por tudo que já passei. Momentos difíceis nos fazem crescer", afirma Gisele. "Encarei o não como desafio e não me dei por vencida só porque algumas pessoas diziam que eu não servia para fazer capa de revista porque tinha um nariz muito grande", ela diz. "Tive muita disciplina e persistência e estava determinada a provar que eu realmente poderia fazer aquilo". Se você busca o sucesso, siga essa regra: crie imunidade à rejeição.

REGRA 2
ENTENDA O PARADOXO DA APATIA

Todo ano, na primeira quinta-feira do mês de fevereiro, em Washington D.C, Estados Unidos, líderes políticos e religiosos se reúnem para um evento chamado *National Prayer Breakfast*. Em uma cidade acostumada a debater e tomar decisões sobre as coisas mais importantes do mundo, esse é um encontro apartidário, que reúne pessoas de todos os credos. Seu objetivo é criar um denominador comum entre os diferentes grupos religiosos e as diversas divisões políticas e sociais. Por isso, os convidados que fazem uso da palavra recebem orientação restrita para não criar controvérsia em seus discursos. Dois palestrantes ocupam o ponto alto do evento. Um é sempre o presidente americano. O outro, uma autoridade convidada. Cujo nome é mantido em segredo até o momento em que for chamado ao palco.

Em 1994, cerca de três mil e quinhentos convidados oriundos de mais de 150 países ocupavam o salão Nobre Internacional do Hilton Hotel, onde acontece o evento. O presidente Bill Clinton, a primeira-dama, Hillary, o vice-presidente, Al Gore, e sua esposa estavam sentados na mesa oficial. Quando o mestre de cerimônias anunciou o convidado especial, uma pequena freira de olhar sereno, vestindo um hábito branco com um manto azul nos ombros e uma cruz enorme no peito, cruzou o palco. Ela cumprimentou o presidente Clinton e sua esposa, e depois foi até o pedestal. O discurso desse dia seria qualquer coisa, menos submisso, passivo ou dócil, conforme a recomendação.

No começo, Madre Teresa falou do quanto a vida é preciosa. Depois, falou sobre Deus, paz, amor e família. Por um tempo, todos estavam entusiasmados. Ela era o tipo de convidada que qualquer um quer ter ao seu lado. Mas de repente, as coisas mudaram. Seu discurso adquiriu outro tom, outro rumo. Suas palavras se tornaram rudes, cada vez mais ásperas, tocando nas feridas mais profundas da sociedade americana. Primeiro, ela falou sobre a necessidade de vestir os pobres, alimentar os famintos e abrigar os mendigos, dizendo que devemos amar uns aos outros e cuidar uns dos outros. Depois, ela falou de pais infelizes largados em asilos, do quanto eles sofrem por terem sido esquecidos, abandonados, rejeitados pelos próprios filhos. Contou que, certo dia, nos Estados Unidos, visitou um abrigo de idosos. "Lá, eles tinham tudo: cuidados médicos, roupas limpas, calefação, televisores e comida excelente em abundância", ela disse. Depois prosseguiu: "Mas mesmo assim eles mantinham um triste olhar, seus rostos estavam voltados o tempo todo para a porta. Perguntei a uma das enfermeiras por que esses idosos estavam olhando para a porta o tempo todo? A enfermeira respondeu que eles estavam numa constante espera dos familiares".

Madre Teresa ficou em silêncio por alguns segundos. Depois, perguntou: "estamos dispostos a nos doar e enfrentar o sofrimento para estar com nossa família ou colocamos nossos interesses pessoais em primeiro lugar? Realmente amamos a Deus? Como? Como queremos amar a Deus, que não vemos, se não nos importamos com nossos irmãos, que estão ao nosso lado?"

Na plateia, a elite americana se remexeu. Por alguns segundos, houve um silêncio, depois, os aplausos encheram a sala. Mas nem todos aplaudiram. Clinton, Hillary, Al Gore e sua esposa não moveram um músculo sequer. Madre Teresa não se intimidou. Ao terminar, não havia ninguém que, de certa forma, ela não tivesse puxado as orelhas.

Madre Teresa foi uma grande autoridade. Se existiu alguém em seu tempo que viveu os princípios de Cristo, foi ela. Muitos a consideram a missionária do século 20. Sua congregação se espalhou por mais de 150 países. Em 1979, ela recebeu o Prêmio Nobel da Paz. Agora, pense por um instante: o que faz com que pessoas, como Madre Teresa, mesmo estando diante das maiores autoridades políticas e religiosas do mundo, nao se intimidem? Apesar da orientação clara para não criar controvérsia com o que iria dizer, ela não hesitou um momento sequer em falar o que pensava, mesmo que isso pudesse agredir seus anfitriões. De onde vem autoridade moral? Se eu lhe desse as três opções a seguir:

1. A sua relação de fé e amor com Deus.
2. O seu trabalho com os pobres.
3. A sua inteligência, formação e experiência de vida.

O que você responderia? Sua resposta, certamente, seria a primeira, ou seja: que sua autoridade moral é um resultado da sua relação com Deus. Mas essa não é a resposta certa. A relação entre Madre Teresa e Deus foi muito mais complicada do que se possa imaginar. Ao longo de meio século, sua vida foi marcada por uma intensa crise espiritual. Brian Kolodiejchuk, responsável pela coleta de documentos para o processo de santificação da Madre, descobriu inúmeras cartas onde ela confessa um completo isolamento de Deus. No seu íntimo, afirma ter vivido momentos de terrível escuridão espiritual. Durante todo esse tempo, Madre Teresa inclusive questionava a própria existência de Deus. Enquanto mantinha uma atitude externa de fé inquestionável, internamente duelava com as dúvidas mais cruéis. Porém, ela nunca se deixou abalar por suas dúvidas. Durante todo tempo, ela lidou com isso em silêncio.

A relação de Madre Teresa com seus pontos fracos foi de indiferença. Aos 12 anos, ela ouviu um missionário dizer que cada qual, em sua vida, deve seguir seu próprio caminho. Essas palavras a impressionaram, e ela se determinou a dar um sentido à sua vida. Esse sentido, seu Conceito Kelleher, era entregar-se a serviço dos pobres. E esse permaneceu seu propósito. Nossas fraquezas, dúvidas e incertezas, principalmente ao longo da primeira milha, são inevitáveis. Contudo, nosso propósito deve estar fundamentado sobre nossas habilidades. Madre Teresa não se intimidou, porque tirou proveito de sua natureza confiante, esquadrinhando seu potencial, mantendo-se distante das coisas nocivas, como sua crise espiritual.

O paradoxo da apatia nos ensina a tirar proveito das nossas habilidades, e administrar nossas deficiências apenas o bastante para que elas não atrapalhem o desenvolvimento e a lapidação do nosso potencial. Essa é uma questão óbvia, mas que ignoramos o tempo todo. A maioria de nós se sente intensamente incapaz porque pensa constantemente sobre as deficiências e falhas decorrentes delas.

Ao longo dos últimos anos, um número de psicólogos e educadores focou a atenção sobre o papel que esse tipo de influência exerce sobre as pessoas. Jane Elliott, uma professora do primário de Riceville, no Estado de Iowa, Estados Unidos, conduziu um estudo perturbador nesse sentido. Riceville é uma cidade muito pequena. Sua população não passa de mil habitantes. Cem por cento deles são brancos. A metade, descendente de alemães. Se você tivesse nascido em Riceville e nunca saído de lá, suas chances de ter visto, uma única vez, uma pessoa de pele escura seria muito remota. Anos atrás, Jane Elliot, quis ensinar aos seus alunos uma lição sobre o que é discriminação racial. No início da aula, disse aos alunos que pessoas com olhos claros eram superiores a outras pessoas. "Pessoas com olhos claros são mais inteligentes, mais educadas, mais legais e melhores do que as com olhos castanhos", ela disse. Os alunos com olhos castanhos, cerca de metade da classe, reagiram, mas a professora, num tom autoritário, começou a dar exemplos explícitos sobre a superioridade das pessoas com olhos claros.

Aos poucos, suas palavras foram tomando efeito. Os alunos, tanto os de olhos claros como os de olhos castanhos, passaram a se convencer de que ela tinha razão. A professora então pediu aos alunos com olhos castanhos que sentassem mais ao fundo, deixando as classes da frente para os alunos de olhos claros. Também os fez usar um lenço preto no pescoço, para que pudessem ser identificados de longe. Proibiu-os de tomar água na fonte, ao invés, eles tiveram de usar copos descartáveis, e os impediu de usar o parque de diversões, que passou a ser propriedade exclusiva de quem tinha olhos claros. Durante a aula, ela elogiava os alunos com os olhos claros, omitindo qualquer comentário positivo àqueles que tinham olhos castanhos. Durante o intervalo, deixou os alunos de olhos claros sair cinco minutos mais cedo. No dia seguinte, ela inverteu o processo. Disse que se enganara, que, na verdade, havia descoberto que as pessoas com olhos castanhos eram superiores. E repetiu tudo, dando supremacia aos alunos de olhos castanhos.

A professora ficou chocada com a rapidez com que os alunos se transformaram. As crianças designadas como inferiores assumiram um comportamento defensivo, inferior. Até mesmo nos testes e nos exercícios, o resultado era extremamente proporcional. "Em menos de quinze minutos vi, diante dos meus olhos, crianças maravilhosas, queridas e amistosas, se tornarem agressivas e preconceituosas. Crianças que eram dóceis e tolerantes se tornaram amargas e maldosas. Amizades se dissolviam num piscar de olhos", disse a professora. Um dos alunos com olhos castanhos perguntou à professora, que tinha olhos azuis, como ela podia dar aula, uma vez que ela era inferior às pessoas com olhos castanhos.

Tanto os alunos de olhos claros quanto os de olhos castanhos, no dia em que estavam no grupo inferior, se descreviam como imbecis, tristes e ruins. "Quando éramos considerados inferiores, eu senti que tudo de ruim acontecia para nós", uma das crianças disse. Quando eram consideradas superiores, elas se sentiam felizes e sorridentes, e o desempenho era muito superior. Num exercício de leitura, quando eram considerados inferiores, os alunos demoraram cinco minutos e meio para concluir a leitura. Quando eram considerados superiores, conseguiram fazê-lo em dois minutos e meio. Quando a professora perguntou por que eles não puderam ler tão bem no dia anterior, uma aluna respondeu: "nós tínhamos esses lenços no pescoço". Outro aluno disse: "eu não conseguia esquecer esse lenço".

O que a experiência de Riceville nos diz? No capítulo 2, apresentei um estudo realizado na Universidade de Princeton. Nele, os pesquisadores constataram a estranha influência que as circunstâncias têm sobre nossas escolhas. A experiência de Riceville mostra como nossa condição psicológica manipula nosso desempenho e nosso comportamento. Essa influência opera em dois níveis: primeiro, no nível consciente. São as coisas que escolhemos acreditar, nossos valores estabelecidos, que usamos para direcionar nosso comportamento de forma deliberada. O segundo nível é baseado numa questão muito óbvia, mas não menos profunda. É a nossa atitude sobre o que os outros pensam ou falam. É a imediata e automática associação que ocorre, muitas vezes de forma inconsciente, entre as palavras dos outros e nossas emoções. Não escolhemos nossa reação em relação ao que os outros dizem sobre nós. Isso acontece de forma automática, de forma inconsciente. O cérebro rapidamente junta todos os dados disponíveis, as experiências anteriores, a opinião de nossos amigos, os livros que lemos, o que vemos na novela, tudo somado, cria um padrão que forma um veredicto instantâneo.

Não estamos falando, aqui, da maneira como você reage a uma situação, como se defende em relação a outra pessoa, ou a impressão que passa. Isso, na verdade, não importa. O que importa é o sentimento, a emoção, a reação interna que isso provoca em você. E essa reação, muitas vezes, é irrefletida, inconsciente. Por isso, ser apático aos nossos pontos fracos é tão importante. Somos profundamente sensíveis, até os mínimos detalhes, à opinião dos outros. Essa sensibilidade cria emoções que alteram nossas crenças e, por consequência, nossa maneira de agir, desviando-nos dos desejos mais intrínsecos ao nosso propósito.

No início deste capítulo vimos que as nossas escolhas expandem ou retraem nossas habilidades. Em outras palavras, isso quer dizer que quando você se deixa afetar pelas circunstâncias ou pessoas que o cercam, internamente, você se retrai, usa mais cautela nas suas ações, crê um pouco menos, mantém menos contato visual, sorri de uma maneira um pouco suspeita, gagueja. Você se torna menos confiante, menos espontâneo. Muitas vezes, essa reação é tão sutil que nem a percebemos, mas ela faz toda a diferença nos resultados.

Deixa eu lhe dar um exemplo: Gisele, aos 14 anos, deixou seu apartamento em São Paulo e saiu em busca de trabalho. Com seu *book* debaixo do braço, apanhou o ônibus e foi visitar as agências. Lá, cercada por profissionais da moda, ela era observada e avaliada. Faziam comentários sobre cada detalhe de seu corpo, de sua aparência. Alguém comenta, por exemplo, que ela tem um nariz muito grande, que nunca faria uma capa de revista. Gisele está lá, presente, ouvindo tudo. Pedem para que ela desfile ali mesmo. Gisele desfila. Especialistas em moda a avaliam outra vez: "ela tem um jeito estranho, você não acha?", alguém comenta. Depois cochicham entre eles por alguns segundos e dizem para Gisele: "nós temos o telefone da tua agente, se aparecer alguma coisa, te ligaremos". Gisele agradece cortesmente e sai. Na rua, toma o ônibus e volta para seu apartamento. Um detalhe: eu não inventei essa história. De fato aconteceu e, o que é pior, não foi um único dia. Gisele enfrentou cenas parecidas ao longo de oito meses. Como você imagina sobreviver oito meses dessa forma sem estar imune à rejeição e sem ser completamente apático ao que lhe cerca?

"As modelos são como uma calça jeans exposta na arara de uma loja, que é observada, avaliada, julgada e, talvez, escolhida", afirma a consultora de moda Costanza Pascolato. Mônica Monteiro, que já citei antes, avança na mesma linha: "Quando elas vão fazer um teste, estão sendo provadas para um trabalho. Quando não são aprovadas, elas começam a achar que têm algum problema, que são feias, ou que precisam emagrecer. É muito complicado." Essa não é apenas a realidade das modelos. Essa é a realidade de todos nós. Seja onde e como for. Todos nós temos de passar pela primeira milha. Nela, estamos sujeitos à opinião dos outros e a nossa própria. Entender o paradoxo da apatia não significa ser indiferente ao que os outros pensam sobre nós, mas não deixar que isso seja imperativo, que se torne emocional. Não admitir que isso mude o pensamento que temos sobre nós, e não permitir que isso desvie a atenção do nosso propósito. Essa atitude é fundamental em qualquer carreira, negócio ou relação. Nós somos criaturas sociais, só existimos no convívio com os outros. Nesse convívio, somos objeto constante de julgamento, mas é de acordo com a maneira como nos identificamos a nós mesmos que os outros nos julgarão.

Outro fator é não deixar que nossas fraquezas e nossas inseguranças obstruam nosso talento. Num extraordinário *insight*, a escritora Lya Luft escreveu que "boa parte do tempo andamos meio às cegas, avançando por erro e tentativa, tateando, entre os desafios de cada dia". Lya diz que é "sobre essa terra fria ou areia traiçoeira que teremos de erguer a nossa casa pessoal feita em parte desses materiais brutos. Nem tudo pode ser programado. Os cálculos têm resultados imprevistos. Misturamos em nós possibilidade de sonhar e necessidade de rastejar, medo e fervor". Cada vez que temos consciência de infringir nosso próprio código de leis, ou mesmo o dos outros, nossa tendência impulsiva é de nos julgar, autodepreciar, condenar e recriminar, anulando nossa autoridade. Isso ocorre porque, internamente, exigimos a perfeição. Tente imaginar o que teria acontecido se Madre Teresa tivesse se recriminado pelas suas crises de fé?

Entender o paradoxo da apatia é compreender que falhas, defeitos, imperfeições, são normais. Todos nós carregamos uma bagagem psicológica, mas é preciso torná-la o mais leve possível. Quando pensamos em limites, os criamos. Essas restrições que impomos a nós mesmos, mesmo sendo psicológicas, nos limitam tanto quanto se fossem verdadeiras. Isso é um paradoxo porque ao mesmo tempo em que você analisa o que os outros falam, não pode se deixar afetar emocionalmente.

REGRA 3
EVITE O ERRO DA RACIONALIZAÇÃO

Nossos erros, falhas e, muitas vezes, até certas humilhações são inevitáveis no processo de aprendizagem e crescimento. Contudo, eles devem ser assimilados com naturalidade. Ou seja, devem ser meios para um determinado fim, e não um fim em si mesmo. Uma vez que eles serviram a seu propósito, devem ser deixados para trás. Se permanecermos atolados neles, eles se tornam uma desculpa, e se transformam na meta final. Isso nos trás à regra três: evitar o erro da racionalização.

Em psicologia, a racionalização é compreendida como um processo que usamos para encontrar motivos lógicos e racionais aceitáveis, com os quais justificamos pensamentos e ações inaceitáveis. Num sentido mais simples, é o processo através do qual uma pessoa apresenta uma explicação que é logicamente consistente ou eticamente aceitável para uma atitude, ação, ideia ou sentimento que causa angústia. Usa-se para disfarçar verdadeiros motivos, na intenção de tornar o inaceitável mais aceitável. Ou seja, você traça um propósito, mas quando vê os percalços que terá de enfrentar para realizar esse propósito, inventa uma desculpa aceitável através da qual justifica a desistência, numa tentativa frustrada de não admitir o fracasso em relação ao seu intento.

Um exemplo maravilhoso da terceira regra nos foi dado por Esopo, há mais de dois mil e quinhentos anos. Ele escreveu uma fábula onde conta a história de uma raposa esfomeada e gulosa, que saiu do areal do deserto à procura de alimento. Por sorte, ela chegou à sombra deliciosa de um pequeno parreiral no encosto de uma colina. A raposa parou, olhou e viu, no alto da parreira, deliciosos cachos de uvas. Lambeu os lábios e sorridente, pensou: "isso é exatamente o que eu sonhei o tempo todo". Ela armou o salto e pulou em direção às uvas, mas não conseguiu apanhá-las. Ela retesou o corpo e tentou outra vez. O focinho passou a dois palmos das uvas, mas ela caiu sem nada. Tentou mais algumas vezes sem sucesso, então decidiu descansar um pouco. Porém, impaciente, passou a andar em volta, procurando uma maneira mais fácil de apanhar as frutas.

Enfim, decidiu por uma nova tentativa: encolheu mais o corpo, reuniu todos os esforços e, após mais uma sequência de tentativas frustradas, olhou para as uvas com um profundo sentimento de angústia e raiva, sem saber o que fazer. Momento em que, ao instinto da fome, uniu-se uma estranha e nova sensação: a decepção, o desapontamento de não conseguir atender à sua necessidade básica. As sucessivas investidas não apenas foram em vão, como, pior que isso, provaram sua incapacidade, que lhe atormentou ainda mais. Frustrada, a raposa voltou a olhar para as uvas, refletiu e, de repente, chegou a uma conclusão satisfatória: "essas uvas devem estar verdes, duras e azedas", disse. Conformada, virou as costas para as uvas e para o parreiral e seguiu em busca de alimentos mais fáceis de conseguir. Quando estava a alguns metros do parreiral, ouviu um barulho. Voltou-se e foi correndo até onde havia visto as uvas, vasculhou o chão e, infelizmente, descobriu que eram apenas algumas folhas que haviam caído.

Em inúmeras situações, agimos exatamente como a raposa. Inventamos para nós mesmos uma história falsa para salvar nossa estrutura interna do fracasso. A raposa sabia que devia haver alguma forma de alcançá-las, mas sabia também que, se continuasse insistindo e não conseguisse, o fracasso seria ainda pior. Ela não queria ser considerada um animal falido e derrotado. A fome era só dela e ela podia muito bem conviver com isso. O rótulo do fracasso, porém, mexia com sua essência e, por isso, era insuportável.

Lembra da primeira regra, que diz que precisamos criar imunidade à rejeição? O erro da racionalização é a forma equivocada de agir diante dessa regra, usando o paradoxo da apatia como instrumento. Grande percentual das pessoas fracassa porque quando se depara com as primeiras dificuldades, assim como a raposa inventou desculpas para manter o autorrespeito, elas buscam razões convincentes, ainda que falsas, para justificar suas atitudes e fracassos. Elas criam explicações altamente descaracterizadas para justificar sua frustração. Madre Teresa poderia ter justificado sua desistência, de maneira convincente, com a sua crise espiritual. Einstein, com a gravidez da sua namorada, a situação financeira de seus pais, as desavenças com seus professores; Gisele poderia ter voltado para casa e ter dito a seus pais que, infelizmente, a opinião dos profissionais da moda lhe tirava qualquer perspectiva de realizar seu sonho. O mundo os compreenderia perfeitamente.

Quando observamos a ação das pessoas diante de um grande desafio, o que vemos, basicamente, é que elas se dividem em dois grupos. Um enfrenta as pressões com persistência, insiste em seus propósitos, reforça e reafirma sua guarda, tenta incansáveis alternativas até atingir seu intento; encara os desafios com coragem, provoca experiências transformadoras, intensas e radicais na sua visão de mundo e na sua forma de viver. E qual o resultado obtido? Esse processo eleva os níveis de crescimento espiritual; desperta potenciais inconscientes como sabedoria, paixão, entusiasmo, e ativa outras habilidades inatas que estão escondidas em nós. Esse é o tipo de pessoa que vê tudo como uma chance para mudar, vê suas experiências como uma oportunidade natural de crescimento, cada desafio é uma oportunidade de aprender, expandir e evoluir.

O outro grupo, a grande maioria, é daqueles que cometem o erro da racionalização. Essas pessoas usam a razão para inventar uma explicação consistente e aceitável para isentar-se diante de si e dos outros do conceito de fracasso. Quando não conseguem realizar seus negócios, acusam as circunstâncias, quando não atingem um intento, tendem a denegri-lo na tentativa de diminuir a gravidade de seu insucesso.

Essas pessoas são controladas pelo pensamento e emoções. Suas ações são limitadas pela sua própria crença. Elas são vítimas das circunstâncias, escravos das causas externas sobre as quais não têm controle. Na verdade, são escravas das limitações que elas se impõem. Essa deficiência precisa ser rompida para que possamos expandir nosso potencial. A constante necessidade em justificar-se diante da vida, em arranjar desculpas para negar nossa responsabilidade, é o que leva a maioria das pessoas ao fracasso. Se você descobriu que não usa seu talento porque seu chefe não lhe dá abertura, porque há mediocridade a sua volta, ou porque sente preguiça, talvez, como a raposa, você está sendo vítima do Erro da Racionalização.

CAPÍTULO 5

A lição de Delfos

Por que diante de situações difíceis certas pessoas se tornam mais fortes, mais confiantes e mais seguras, enquanto outras simplesmente desabam?

NOS DIAS QUE SUCEDERAM O NATAL DE 1991, uma coisa no mínimo estranha acontecia nas lojas que vendiam CDs nos Estados Unidos. Se você, naquela época, trabalhasse numa dessas lojas, seria inevitável perceber o grande número de adolescentes trocando o cd *Dangerous,* recém-lançado por Michael Jackson, pelo *Nevermind*, do Nirvana. Qual era o problema? *Dangerous* era a sensação do momento. A música principal, que deu nome ao álbum, ocupava havia semanas o topo da lista das mais pedidas. *Dangerous* era o que parecia um presente de Natal perfeito para um adolescente, não fosse um detalhe: havia algo novo acontecendo.

Embora ainda quase imperceptível para muitos, o mundo da música estava prestes a fechar um ciclo e iniciar outro. Uma banda quase desconhecida, Nirvana, oferecia um novo estilo de rock ao mundo. Os adolescentes recebiam o cd do Michael Jackson, e iam até a loja trocá-lo pelo cd do Nirvana. Esse fenômeno foi tão intenso, que duas semanas após o Natal, *Nevermind* desbancou Michael Jackson do topo das paradas, assumindo a posição de hit número um por anos a fio.

Criado em 1987, por Kurt Cobain e seu ex-colega de aula Krist Novoselic, o Nirvana foi uma verdadeira revolução musical na década de 90. Em 1989, dois anos depois de sua criação, ela já era uma das principais bandas da parte oeste dos Estados Unidos. Quatro anos depois, a música *Smells like teen spirit* marcou o início de uma dramática e eletrizante mudança no mundo do rock' n' roll. Num só golpe, ela varreu dos holofotes os estilos glam metal, arena rock e o dance pop, fazendo do Nirvana a maior banda de rock do mundo. Era a vez da Geração X, com um estilo de rock mais sujo, pesado, que se tornou conhecido como grunge. *Smells like teen spirit* foi considerada o hino da nova geração. Kurt Cobain, seu porta-voz.

A carreira de Cobain, apesar do sucesso, foi muito curta e acabou de maneira trágica. No início de abril de 1994, Cobain, cedendo à pressão das pessoas a sua volta, se internou num centro de reabilitação de drogados, em Los Angeles. Apenas para fugir dois dias depois. O ex-baixista do Guns n' Roses, Duff McKagan, encontrou-o no vôo entre Los Angeles e Seattle, onde os dois residiam. No decorrer da viagem, Duff percebeu que Cobain estava visivelmente desesperado. Cobain contou que havia fugido do centro de reabilitação e que não sabia mais o que fazer. "Eu senti, no fundo do coração, que algo estava errado", Duff contou mais tarde. "Estávamos esperando nossas bagagens, e eu me voltei para oferecer uma carona, mas ele já havia desaparecido", revelou.

O que aconteceu depois virou uma das lendas mais trágicas da história do rock. Quatro dias depois, um eletricista que instalava um novo sistema de segurança na mansão de Cobain, em Seattle, encontrou o seu corpo do músico próximo a uma estufa, no quintal da casa. Ele havia se matado três dias antes. Num trecho de uma das cartas de despedida, ele explicou os aparentes motivos do seu suicídio.

> Há anos eu não venho sentindo mais excitação ao ouvir e fazer música (...). Quando estou atrás do palco, as luzes se apagam e o ruído ensandecido da

> multidão começa, nada me afeta como afetava a Freddie Mercury, que costumava amar, se deliciar com o amor e a adoração da multidão, o que é uma coisa que invejo nele (...). O pior crime que posso imaginar seria enganar as pessoas sendo falso e fingindo que estou me divertindo cem por cento (...). Devo ser um daqueles narcisistas que só dão valor às coisas depois que elas se vão (...). Preciso ficar um pouco dormente para ter de volta o entusiasmo que eu tinha quando criança (...). Eu não tenho mais aquela paixão, então, lembre-se: é melhor apagar de uma vez do que ir sumindo aos poucos.

Kurt Cobain tinha vários problemas. Sua vida foi marcada pela depressão, insuportáveis dores de estômago, desgastes emocionais e, para complicar mais ainda, a dependência de heroína, que ele vivia negando, mas da qual nunca conseguiu, ou quis, se libertar. A mídia não o poupava. De forma aberta e constante, desmentia Kurt, afirmando sua dependência química. Sua relação com Courtney Love, com quem teve uma filha, também não contribuiu muito. Mas será que essas são as causas reais pelo final trágico de sua vida? Se cavarmos um pouco mais fundo, será que não encontraremos outras razões para o problema de Cobain?

Poucas semanas antes de concluir o ensino médio, Cobain viu que suas notas não permitiriam que ele se graduasse e abandonou a escola. A essa altura, seus pais haviam se divorciado e Cobain morava com a mãe. Porém, já residira na casa de amigos, com parentes próximos e até mesmo na rua. Quando sua mãe soube que ele havia desistido da escola, lhe deu um ultimato: ou encontrava um emprego ou seria expulso de casa. Poucos dias depois, ele estava vivendo na rua outra vez. Para se proteger do frio, ele costumava passar as noites em salas de espera de hospitais, fingindo ser parente de algum internado.

Essa situação se estendeu até o final de 1988, quando ele finalmente conseguiu alugar um apartamento. Para ganhar dinheiro trabalhou como salva-vidas num resort na costa de Washington. Foi neste período que ele começou a banda. Em maio de 1991, num concerto em Los Angeles, conheceu Courtney Love, vocalista da banda Hole. Menos de um ano depois, Courtney estava grávida. Os dois se casaram. Cobain dizia estar muito feliz e atribuía essa felicidade a sua relação com Courtney. "Há dois meses noivei e minhas atitudes mudaram radicalmente", ele disse, na época, em um documentário da MTV. "Não acredito no quanto estou feliz. Muitas vezes nem percebo que estou numa banda em plena atividade de tanto que eu estou cegamente apaixonado", prosseguiu. "Sei que isso parece meio constrangedor, mas é verdade. Poderia abandonar a banda agora mesmo. Isso não importa, mas estou sob contrato". Os fãs do Nirvana, porém, odiavam Courtney. Eles a acusavam de ter se aproximado de Kurt apenas para tornar-se famosa.

Em 1992, a situação piorou. No dia 19 de agosto, um dia depois de a filha de Cobain nascer, a revista *Vanity Fair* publicou uma entrevista com Courtney. Ela disse à revista que consumira heroína durante a gravidez. A notícia teve o efeito de uma bomba. Cobain ficou apavorado. Ainda na maternidade, com uma arma na mão, propôs a Courtney o suicídio duplo. Eles haviam feito um trato de que, se qualquer coisa acontecesse com a filha, os dois se suicidariam. Diante da entrevista, temiam perder a guarda da filha e Cobain queria seguir o combinado, mas Courtney conseguiu persuadi-lo a desistir da ideia. Semanas depois, o casal teve de disputar a guarda da filha na Corte. A justiça afirmava que o vício os desqualificava para assumir a paternidade. Quando a filha completou duas semanas, eles perderam a guarda. A justiça determinou que a menina ficasse com a irmã de Courtney. Depois de meses de brigas judiciais, seguidas de escândalos e humilhações, Cobain e Courtney conseguiram obter a guarda da filha de volta, iniciando um curto e raro momento de estabilidade na vida de Cobain, mas que não duraria muito.

O FATOR COBAIN

A Lei da Tripla Convergência, de que falei no capítulo 3, diz que, para obter sucesso, o propósito precisa ser construído sobre o ponto de convergência de três fatores: talento, paixão e renda. Se analisarmos essa lei no contexto histórico de Kurt Cobain, inevitavelmente chegaremos à conclusão de que ele se adequou perfeitamente a ela. Seu talento para a música era inquestionável. *Nevermind*, lançado em setembro de 1991, foi considerado uma obra-prima. O álbum catapultou a banda para o *mainstream* e transformou-a num fenômeno mundial. Sozinho, vendeu cerca de 25 milhões de cópias. Ainda hoje é considerado um dos mais importantes e influentes da história do rock.

E quanto à paixão? Cobain revelou na sua carta de despedida que não sentia mais paixão pela música. Basta ver, porém, seus clipes e suas entrevistas, para perceber que isso não era verdade. Ele era tão apaixonado por música que, além dos álbuns do Nirvana, há suspeitas de que compôs praticamente sozinho os primeiros álbuns da banda Hole, onde sua esposa era vocalista. Além disso, mesmo depois de conquistar o mundo, a banda seguiu sua enérgica carreira e lançou discos extraordinários. Todos, verdadeiras obras de arte, são aclamados mundialmente. Não há como obter tanto sucesso, sem estar apaixonadamente envolvido no trabalho. Mas, mesmo se o que Cobain escreveu fosse verdade, ele poderia simplesmente encerrar sua carreira e se envolver em algo mais excitante. Ele não o fez, porque a música era sua paixão. O terceiro fator, renda, é desnecessário falar. Nos últimos anos, Kurt faturava milhões por ano.

O que faz com que pessoas como Kurt Cobain, — apesar do seu imenso sucesso —, sejam tão vulneráveis às circunstâncias que os envolvem? Olhando de maneira superficial, no caso de Cobain, somos tentados a atribuir a causa ao uso de drogas, à vida desregrada e às distintas formas de pressão que ele sofreu. Mas com um olhar mais atento essa explicação cai por terra. Basta observar a maneira como Cobain reagia às críticas da imprensa e de seus fãs para perceber que seu problema era de estrutura. Ele era extremamente suscetível a qualquer opinião. Uma simples afirmação negativa da imprensa o atingia a ponto de querer tirar sua própria vida (e foi o que ele acabou fazendo). O problema da dependência em heroína era uma consequência da dificuldade de lidar com todas essas situações. O que aconteceu com Cobain, num sentido geral, e que pode ser chamado de Fator Cobain, foi uma espécie de perda absoluta de identidade. Sem uma identidade própria, ele passou a se agarrar nas imagens que a imprensa construía dele. Um elogio lhe dava uma sobrevida, enquanto que a crítica o desestabilizava completamente.

O Fator Cobain é um problema muito mais comum do que podemos imaginar. Lidamos com seus efeitos diariamente. Esses efeitos são os sentimentos confusos que temos sobre quem verdadeiramente somos. Em outras palavras, o Fator Cobain é a incapacidade de assumir nossa própria identidade e ignorar o discurso social que nos diz o que devemos ser e como devemos agir. Observe, por exemplo, as pessoas ao seu redor: o garçom, a atendente de loja, o vendedor de imóveis, o político, o padre, o dono da mercearia na esquina de sua casa. Todos exercem um estranho comportamento, como se estivessem cumprindo um papel completamente alheio ao que são em outras circunstâncias. O garçom, por exemplo, quando trabalha, assume movimentos rápidos. Empenha-se em encadear seus movimentos regidos pela situação. O mesmo acontece com o padre, que toma ar de seriedade quando sobe ao altar, o político que se torna simpático, a balconista que se torna amigável, sorridente. O que eles estão fazendo? Estão representando. Representando o quê? Ser o que eles não são. Essas pessoas agem de acordo com sua condição para realizá-la. O problema que chamo de Fator Cobain surge quando confundimos essa imagem com quem realmente somos. Quando isso ocorre, perdemos nossa identidade e perdemos contato com nossa essência. Quando não sabemos quem somos, temos dificuldade de lidar com tudo que se cria a nossa volta. Quando isso acontece, somos afetados por opiniões e fatos externos que assumem o controle sobre nossa vida e nos tornamos uma sombra dessas opiniões alheias.

Qual é, por exemplo, o objetivo de se cadastrar num site de relacionamentos? Encontrar uma pessoa com a qual você queira dividir sua vida, certo? Então, parece fundamental que você seja honesto desde o princípio. Mentir sobre a sua renda, aparência, peso e altura são pontos negativos. Caso você opte por negligenciar a verdade sobre essas questões, no seu primeiro encontro, você será desmascarado. Inevitavelmente, isso afetaria seu objetivo final. Tudo isso é muito óbvio, mas, como agimos na prática?

Alguns anos atrás, o economista social Dan Ariely e uma equipe de pesquisadores da Universidade de Chicago realizaram um estudo para averiguar o nível de sinceridade que as pessoas usam ao criar um perfil nos sites de relacionamentos. A equipe analisou 30 mil perfis. A descoberta foi reveladora. A maioria das pessoas que tiveram seu perfil analisado dizia ter entre 26 a 35 anos. Mais do que quatro por cento dizia que sua receita anual era igual ou superior a US$ 200 mil. Ou seja, recebiam um salário de US$ 16,6 mil, ou mais, por mês. Enquanto que outras pesquisas afirmam que menos de um por cento dos usuários de internet tem renda nesse patamar. Uma confissão clara de que no mínimo três de cada quatro estavam mentindo sobre sua renda. Os usuários também, ironicamente, eram muito mais altos do que a média das pessoas. As mulheres, em geral, pesavam 10 quilos a menos do que a média pesa na vida real.

Os números ficam ainda mais contraditórios quando tratam da aparência. Três, de cada quatro mulheres, diziam ter uma beleza acima da média. Uma, em cada quatro, dizia ser muito bonita. Quer dizer que, se você procura uma mulher com um nível de beleza médio, as chances de encontrá-la num site de relacionamento são muito pequenas. Se sua intenção é encontrar uma mulher feia, simplesmente será impossível. Suas chances de encontrá-la num site de relacionamento são de uma em cada cem.

E os homens? Apesar de não serem rotulados como vaidosos, quando se trata de autodescrição, os números não diferem muito quando comparados com os das mulheres. No quesito beleza, 67% também dizem estar acima da média. De cada dez, dois se dizem muito bonitos. Apenas um em cada cem assume que está um pouco abaixo do que é considerado um padrão de beleza médio. Numa análise geral, todos eles eram muito mais altos, muito mais ricos, tinham um estilo atlético, e também eram muito mais bonitos do que a média das pessoas da vida real. Esses dados geram uma pergunta inevitável: se eles são tão bonitos assim, será que precisariam de um site para encontrar um par?

OS TRÊS ESTÁGIOS

Em 1970, dois cientistas chilenos, Humberto Maturana e Francisco Varela, divulgaram uma teoria revolucionária sobre a cognição humana, chamada a Teoria da Cognição de Santiago. Maturana e Varela concluíram que a mesma capacidade que possuímos para imaginar coisas, criar ideias e projetá-las na construção de objetos, ferramentas, instrumentos e máquinas, também usamos para criar uma imagem virtual sobre nós mesmos. Ou seja, criamos um *eu* à parte, para além do que somos.

Mas por que excedemos tanto os limites da verdade na hora de criar essa imagem sobre nós? O motivo é o mesmo que usamos quando encontramos uma pessoa pela primeira vez, ou quando vamos para uma entrevista de emprego: queremos causar uma boa impressão. Para isso, deixamos de lado a realidade e apelamos para a construção do que acreditamos ser uma pessoa ideal, ou seja, alguém melhor do que nós. Isso revela um ponto crucial do Fator Cobain: se, para causar impressão, acreditamos ser necessário criar uma imagem melhorada de nós mesmos, no fundo, temos a convicção de que quem somos na realidade não é bom o suficiente.

Essa é uma constatação importante para quem pretende ter sucesso e felicidade na vida. Muitos de nós passamos a vida inteira projetando uma imagem de nós mesmos muito diferente daquilo que somos. Criamos uma imagem de como achamos que deveríamos ser e agir para sermos aceitos e admirados pelos outros. A partir dessa convicção, criamos uma imagem daquilo que acreditamos que seria uma pessoa ideal. Inventamos essa imagem na tentativa de parecer perfeitos, mas, no fundo, nos sentimos inseguros porque sabemos que, por mais perfeita que essa imagem seja, ela não é real. Esse é o segundo ponto crucial do Fator Cobain. Sabemos que não podemos atingir nossa autenticidade por esse caminho e nos tornamos vacilantes. Temos medo que, ao sermos autênticos, não sejamos bons o suficientes. Ao não ser autênticos para os outros, não somos autênticos para nós mesmos. Escondemos nossas deficiências e nossos erros. Mas, no fundo, vivemos com medo e culpa e nos sentimos arruinados. Buscamos o amor e a admiração dos outros, mas não amamos e admiramos a nós mesmos.

O ponto crucial desse processo é que, mesmo que no início tenhamos consciência de que essa imagem não é real, aos poucos, vamos ignorando esse detalhe e começamos a representar essa imagem. Sabemos que ela é falsa, mas investimos nossa energia nela, construímos toda uma estrutura para sustentá-la. Esse é o terceiro ponto crucial do Fator Cobain. Envolvidos nesse processo, nos afastamos completamente da nossa essência. E passamos a responder a essa imagem como se ela fosse real, como se ela realmente existisse. Em outras palavras, nos confundimos com essa imagem. Para facilitar a compreensão desse processo, vamos analisar cada um desses estágios com mais cuidado.

1. ESTÁGIO DA IDENTIFICAÇÃO

O primeiro estágio surge ainda nos primeiros anos da infância, quando aprendemos os conceitos básicos de bom e ruim, bonito e feio, sucesso e fracasso, inteligência e ignorância. Assim que adquirimos uma noção sobre essas distinções, passamos a analisar, comparar e rotular as pessoas. Percebemos que também somos analisados e rotulados pelos outros. Passamos a formar opiniões sobre os outros, sobre nós e sobre tudo que nos cerca. As notas no colégio nos dizem se somos inteligentes ou não; comparamos nossa aparência; buscamos nossos ídolos, e vemos o quanto eles são admirados pelo mundo. A partir de então, começamos a nos preocupar em causar impressão. Quando algo nos impressiona, passamos a imitá-lo. Quem somos já não importa mais. Queremos ser como Kurt Cobain, ou qualquer outro.

Logo, não sabemos mais quem somos. Para recuperar nossa imagem buscamos mais opiniões. Isso nos leva a ir em busca de apreciação. Precisamos ouvir dos outros o quanto nossa criação é especial, diferente. Essa busca se torna nosso foco. O que os outros dizem assume uma importância fundamental. As opiniões contam tanto porque é disso que a nossa história é feita. No lugar do nosso *eu* autêntico, criamos um boneco de opiniões. É esse boneco que passa a atender ao telefone, nos representar nas reuniões, frequentar a igreja e nos representar nas festas. Representar um boneco de opiniões o tempo todo é difícil, por isso, nos cansamos, ficamos frustrados, irritados, inseguros e estressados.

Todo nosso esforço se concentra em definir a imagem que queremos representar. Temos medo de que, ao sermos autênticos, ao sermos simplesmente quem somos, os outros nos considerem incapazes. Por um estranho motivo, acreditamos que quem somos não é o suficiente; e como não podemos ser quem não somos, criamos essa história sobre nós. Projetamos uma imagem abstrata e irreal sobre nós. Quando estamos identificados com nossas opiniões, nos conceituamos a partir de três fatores externos: *nossas posses*: sou o que possuo, minhas conquistas, meus bens; *nosso corpo*: sou o que pareço, o estado físico, a aparência do meu rosto, a roupa que visto. Ou, ainda, nosso *status social*: sou meus títulos acadêmicos, meu posto social, meu cargo.

2. ESTÁGIO DA DEFESA

Uma vez que definimos essa imagem, entramos no segundo estágio. Nele, passamos a defendê-la. Como tudo que é abstrato e irreal, essa imagem é vulnerável, frágil, sensível, altamente perecível. Ela precisa de intensa proteção.

É a manutenção dessa imagem que se torna nosso propósito. É nela que investimos nosso tempo e nossa energia. Isso nos impede de descobrir quem somos, e, por consequência, torna nossas reações imprevisíveis. São os outros que nos definem e que nos constroem. Eles são a parede contra a qual nossa imagem se manifesta. Sem eles, ela não existe.

Mesmo projetando uma imagem ideal externa, internamente, nos sentimos inferiores, vazios e ridículos. Temos a sensação que os outros sempre estão nos observando e julgando; e que, a qualquer hora, descobrirão nossa farsa. Qualquer opinião altera nossa imagem e a transforma profundamente. Quando nos preocupamos demais com a opinião dos outros, criamos inibição, artificialidade. Quando monitoramos conscientemente cada ato, cada palavra, cada movimento, agimos de maneira artificial. Nada parece estar a nosso favor.

3. ESTÁGIO DA CONSEQUÊNCIA

No terceiro estágio, sofremos as consequências de tudo isso. Ao criar uma imagem sobre nós e nos confundir com ela, nos desviamos de nós mesmos. Nossa integridade se corrompe, e a autenticidade desaparece. Para defender essa imagem criamos uma barreira opaca feita de conceitos, opiniões, julgamentos e definições que bloqueiam todas as nossas relações. Essa barreira lentamente passa a se impor entre nós e a natureza, entre nós e Deus, entre nós e os demais seres humanos e, principalmente, entre nosso eu autêntico e a imagem que temos de nós mesmos. Essa barreira cria a ilusão de que estamos numa constante competição com tudo e com todos. Por isso nos isolamos de tudo e de todos. Como consequência, sentimo-nos sozinhos e isolados. Vivemos atormentados, insatisfeitos e inseguros. A vida se torna um fardo.

Se buscarmos a ajuda de um profissional, seremos encorajados a melhorar nossa imagem com um sorriso, entusiasmo e paixão. Seremos estimulados a adotar novos sistemas, técnicas, princípios e linguagem para aprimorar essa imagem. Mas nada parece funcionar por muito tempo. Sentimo-nos vazios. Lá dentro, a voz da autenticidade não se cala. Ela sussurra constantemente coisas ao nosso ouvido. Ela quer seu espaço. Por tudo isso, sentimo-nos profunda e desnecessariamente miseráveis a maior parte do tempo.

A LIÇÃO DE DELFOS

A Fócida é uma região montanhosa do centro da Grécia atravessada pelo grande maciço do monte Parnaso. Das rochas dessas montanhas afloram inúmeras nascentes que formam belíssimas fontes de águas cristalinas. Uma delas é conhecida como a fonte de Castália. Rodeado de um glamoroso bosque de loureiros, os gregos acreditavam que as musas e ninfas costumavam se juntar ao deus Apolo em torno dessa fonte. Enquanto ele tocava lira, as divindades cantavam. Os gregos acreditavam que Apolo era filho de Zeus — o senhor supremo do Céu e da Terra. Seu reino era amplo. Ele era considerado o deus da luz, da verdade, da beleza, da música, da poesia, das artes e da profecia. O fascínio dos gregos por Apolo era tanto, que por volta do ano 600 A.C, ergueram um majestoso templo em sua homenagem. Na fachada principal do templo, encravaram a famosa máxima dos pensadores da época: "conheça-te a ti mesmo e terás a chave do universo e os segredos dos deuses".

O Templo de Apolo tornou-se a sede do oráculo sagrado. Ele era habitado pela sacerdotisa Pítia. Pítia, ou Pitonisa, como também era chamada, era considerada dona do futuro. Suas profecias eram sagradas e sua fama vazava as fronteiras do império grego. Pessoas vindas de toda parte visitavam o oráculo na esperança de descobrir o que o destino havia reservado para elas. Durante séculos, generais buscavam conselhos, colonizadores almejavam orientação, cidadãos consultavam-no sobre a vida pessoal. No entanto, nada exaltava o interesse dos sábios tanto quanto a inscrição da fachada do templo, a grande Lição de Delfos.

Como, porém, podemos conhecer a nós mesmos? Considere isso da seguinte maneira: você pensa o tempo todo, certo? Mas alguma vez você já pensou sobre o que você pensa? Sobre o motivo pelo que pensa o que pensa? Para descobrir quem somos, temos que adquirir a habilidade de pensar, de forma deliberada, sobre o que pensamos, conhecer o motivo pelo qual pensamos o que pensamos e assumir o controle sobre nosso pensamento. Temos de desenvolver a capacidade de pensar do modo que queremos pensar, assumindo o domínio sobre o pensar compulsivo, que nos domina, e que cria essa imagem ilusória sobre um eu diferente do nosso eu real.

Apesar da tensão persistente que há entre o pensar deliberado e o compulsivo, nós temos o poder natural de pensar o que quisermos pensar, mas poucas pessoas desenvolvem essa capacidade. Escolher o que pensar exige muito mais esforço do que ter pensamentos involuntários. Deixar o pensamento se manifestar é simples, mas pensar de forma deliberada é trabalhoso e requer um autocontrole extraordinário. Não há coisa da qual as pessoas fujam mais do que manter continuamente o pensamento focado numa coisa específica, escolhida deliberadamente. Mas essa é a única forma de conhecer o "eu" que está por trás das aparências.

Pense sobre isso da seguinte forma: todos nós temos um filtro mental. Ele define como iremos reagir a cada estímulo. Esse filtro é uma forma característica de como vemos o mundo. Ele nos diz a qual estímulo reagir e qual ignorar. Qual tipo de comportamento odiar e qual amar. É esse filtro que cria a motivação em nós. Ele define como pensamos e nos força a ter certas atitudes. Ele é único. Ele controla e filtra tudo o que acontece a nossa volta, e cria um mundo que é só nosso. É esse filtro que faz com que a pessoa ao nosso lado, mesmo diante da mesma situação, aja de maneira completamente diferente da nossa, ou de qualquer outra pessoa. Quando julgamos alguém, avaliamos seu comportamento ou suas atitudes, usamos esse filtro. Também usamos o mesmo processo para julgar a nós mesmos. Esse processo não é racional, lógico ou consciente. Ele não se manifesta de vez em quando. Ele está funcionando neste exato momento, na medida em que você está lendo essas palavras. A maneira como você interpreta o que está lendo é só sua. Esse filtro define quem você realmente é. Ele é composto por seu caráter, valores, princípios e convicções. Conhecer-se a si mesmo é ter consciência de qual é o filtro que usamos para filtrar o mundo, e ter controle absoluto sobre esse filtro.

E como você consegue atingir esse estágio? Da mesma maneira como você descobre o caráter dos outros, ou seja, analisando, avaliando e refletindo sobre suas atitudes. Da mesma forma, temos que observar, analisar e avaliar a nós mesmos. Ao fazer essas análises de forma honesta, descobriremos rapidamente que não somos o que pensamos ser, que aquilo que pensamos ser são apenas opiniões a nosso respeito e que, na verdade, nós somos o ser que pensa e que manifesta essas opiniões. Dessa forma, por detrás das opiniões, nosso eu verdadeiro e autêntico se revelará cada vez mais claramente.

A VIDA BASEADA NA LIÇÃO DE DELFOS

Se analisarmos a vida de pessoas bem sucedidas, veremos que essa é uma verdade evidente. Pense, por um instante, sobre o início da carreira de Gisele. Se ela estivesse identificada com uma falsa imagem formada por opiniões, qual teria sido a reação quando falaram que ela tinha um nariz muito grande? Que seu jeito de desfilar era estranho? E se ela comparasse seu corpo com o das modelos esqueléticas que estavam no topo em 1995, como Kate Moss? Se ela tivesse uma imagem insegura sobre si mesma, como ela teria sobrevivido a oito meses de rejeição no início da carreira?

"Ouvir um não na adolescência é muito difícil", explica Monica Monteiro, ex-agente de Gisele. "Já vi meninas fazendo muita loucura depois de ouvir um não, após terem tido certo sucesso como a participação numa novela ou numa campanha grande, e depois, ninguém as querer mais", ela argumenta. Esse tipo de exposição tem despertado muita controvérsia na imprensa. Existem discussões legítimas sobre até que ponto é humano expor adolescentes a esse tipo de rejeição. O trágico disso tudo não é que essas meninas tenham de se expor a situações duras. O trágico é que elas não estejam preparadas para essas situações. "Algumas diziam: ela nunca vai conseguir!", Gisele conta. "Mas eu tinha consciência de que nem todo mundo precisa gostar de mim! Algumas pessoas gostam de melancia, outras, de abacaxi. Isso não quer dizer que a melancia é mais saborosa do que o abacaxi. As pessoas têm gostos diferentes", ela afirma.

A Lição de Delfos nos diz que o desenvolvimento pessoal requer foco em um único ponto-chave: naquilo que verdadeiramente somos. "Gisele nunca permitiu que os críticos a colocassem para baixo. Ela tem um corpo maravilhoso, mas o que realmente a fez ser o sucesso que é foi sua personalidade, a maneira como ela age, seu profissionalismo", afirma Patrícia, irmã gêmea da modelo.

O RESGATE DA AUTENTICIDADE

Por tudo isso, uma vida baseada na Lição de Delfos é muito diferente de uma vida normal. Se Gisele ou Elizabeth Gilbert, por exemplo, sentassem ao nosso lado num avião, ao olhar pela janela, elas não enxergariam o mesmo mundo que muitos de nós. Elas têm um filtro diferente. Enquanto a maioria de nós se preocupa em causar uma boa impressão, ou em rejeitar aqueles que não causam uma boa impressão, pessoas como Gisele ou Elizabeth encantam com uma autenticidade imbatível. A autenticidade, por si só, é atraente, magnética. Ela possui um impacto poderoso e influente sobre outras pessoas. Quando entramos em contato com ela, temos a sensação de que estamos em contato com algo real, seguro. Nossa sombra, ao contrário, transpira insegurança e instabilidade.

Você já se perguntou, por exemplo, por que gostamos tanto de crianças? Não é pelo que elas possuem. Nem pelo que sabem, mas é puramente pelo que elas são. Elas não tentam causar impressão, elas não tentam representar, não existe superficialidade, segunda intenção ou interesse. Por isso, a melhor maneira de causar uma boa impressão é não tentar causar impressão alguma, mas ser exatamente quem somos. Todos nós temos essa criança trancada dentro de nós, ela é nossa autenticidade.

UM ERRO FATAL

Por que a única forma de descobrir quem somos é observar nosso pensamento e assumir controle sobre ele? A resposta é muito simples. Suponha que você esteja numa sala de cinema. À sua volta, está tudo escuro. Nada lhe distrai. Toda sua atenção está focada na enorme tela à frente. Nas cenas que seguem, o herói do filme está prestes a cair na armadilha preparada pelo vilão. Você fica ansioso. Torce para que o herói não faça o que está prestes a fazer. Você está tomado de angústia. Revolve-se no assento. "Não... não...!" pensa, quase em voz alta. Mais à frente, alguém ainda mais empolgado joga pipocas contra a tela e grita: "Não faça isso! Você vai se ferrar!"

A cena passa. O seu herói, no último instante, decide seguir o caminho oposto. Pelo menos por enquanto, se safou da armadilha. Você relaxa. Distrai-se. Olha para os lados, depois para o alto. Por sobre o público, percebe a luz do projetor cortando o vazio da sala. Você volta o rosto. Segue a luz até o projetor. Num momento, toda empolgação desaparece. A história do filme agora lhe parece menos real. Você sabe que, por mais que tentasse, por mais que jogasse a cadeira na cabeça do personagem, você não conseguiria mudar o roteiro do filme. A história já está programada, editada, pronta, e cada vez que você repetir o processo, o resultado será o mesmo. A única forma de alterar as imagens que aparecem na tela é alterar o filme que está sendo rodado no projetor.

Na vida real, acontece a mesma coisa. Na maioria das vezes, insistimos em tentar mudar as imagens da tela sem mexer no filme. Quando tentamos mudar nossa imagem externa, ao invés de mudar o eu, é como quando tentamos mudar as imagens na tela do cinema, jogando pipocas ou alertando o personagem do perigo. Olhamos para as imagens que projetamos sonhando que, um dia, elas se tornarão mais coloridas, mais reais. Assumimos uma atitude mais positiva e saímos decididos a mudar. A primeira pessoa que encontramos na rua olha para nós e exclama: Puxa, você engordou! E nossa imagem é extremamente afetada.

No momento de escolher uma profissão, esquecemos nosso talento. Olhamos para o mercado, tentamos descobrir o que dá dinheiro, o que nos traz segurança. Olhamos as imagens que temos a nossa frente e esquecemos o que existe dentro de nós. Mais tarde, quando tudo parece artificial em nossa vida, quando nada parece fazer sentido, fazemos um esforço intencional para tentar consertar as imagens.

Porém, da mesma forma como não é possível mudar as imagens da tela sem mudar o conteúdo no projetor, não é possível fazer grande mudança na nossa vida, se estivermos iludidos sobre quem somos. Não existe mudança nos efeitos se não mexermos nas causas. A insatisfação não pode ser tratada com analgésicos, ela precisa ser curada na fonte. Precisamos mexer nos fundamentos.

O FATOR COBAIN *VERSUS* A LIÇÃO DE DELFOS

Em dezembro de 2006, Gisele conheceu um jogador de futebol americano chamado Tom Brady. Os dois, tanto Gisele como Brady, vinham de relações frustradas. Ela terminara havia menos de um ano um namoro com Leonardo Di Caprio que, entre idas e vindas, já durara quase cinco anos. Tom Brady havia rompido poucos meses antes uma relação de três anos com a modelo e atriz Bridget Moynahan.

Gisele e Tom se conheceram por meio de um amigo. A reação foi mutua e instantânea. "No momento que ele olhou para mim, ele sorriu. E eu pensei: esse é o sorriso mais lindo e carismático que eu já vi! Naquele dia, conversamos durante três horas. Eu tive de ir, mas não queria sair do lado dele. Depois desse encontro, não deixamos de nos falar um único dia", contou Gisele. Os dois passaram a se ver seguidamente e logo assumiram o namoro.

Dois meses depois, em fevereiro de 2007, a ex-namorada de Tom Brady contou à *People Magazine* que ela estava grávida de três meses e que Tom Brady era o pai. Foi um choque. "Você está vivendo o começo de uma verdadeira fantasia romântica; algo tão bom que você pensa: isso é tão legal que parece não ser verdadeiro, e então, ups... você acorda do sonho com um susto!", ela conta. Gisele e Tom estavam namorando há dois meses e meio quando receberam a notícia. Foi uma situação muito desafiadora. "É óbvio que, no início de uma relação, essa não é a notícia que a gente quer receber", ela diz. Apesar de todo desconforto da situação, o casal permaneceu junto, solidificou a relação e, em 2009, casaram.

Por que Gisele se sobressai em situações onde muitos falham? Existe uma maneira fácil de desvendar esse enigma e já falei sobre isso, ou seja: basta observar o filtro através do qual ela olha as circunstâncias. "Nós nos dizíamos: o que nos podemos aprender com isso? Qual é a coisa positiva que podemos tirar dessa situação?", Gisele contou, referindo-se ao momento vivido com a gravidez de Bridget. "Nós dois crescemos muito. Em todas as situações, há algo de bom, de positivo; é apenas a forma como você olha para a situação. Tudo que vale a pena tem seu preço. Para tornar-me uma modelo, eu tive de deixar minha família ainda quase criança. Você pensa que eu gostei disso? Não. Mas a vida exige sacrifícios.", ela completou.

A intenção desse livro não é criar um mito em torno da modelo Gisele Bündchen. Ao contrário, a intenção é desmistificar seu sucesso e sua felicidade, constatando coisas óbvias em sua maneira de agir, e ver quais os resultados que elas geram. Ao longo do livro citei vários exemplos da singularidade de suas atitudes. E todas elas têm uma coisa em comum: a simplicidade. Em nenhum momento, Gisele teve de mudar o mundo, fazer coisas paranormais para alcançar seu propósito. Em nenhum momento, ela alterou seu comportamento, suas opiniões, sua conduta para agradar outras pessoas. Tudo o que Gisele fez, em todas as situações, foi focar-se em seus princípios pessoais, buscando respostas dentro de si. Em todos os casos, tanto os de glamour como os desafios, ela preservou sua autenticidade. Isso também pode ser notado nos outros exemplos que utilizei até aqui. Pense na história de Sylvester Stallone, Elizabeth Gilbert, Madre Teresa e Albert Einstein. Todos eles mantiveram o foco voltado para dentro de si. Todos seguiram a Lição de Delfos. Com Kurt Cobain, no entanto, foi o contrário.

Alguém, talvez, argumente que a diferença entre Cobain e pessoas como Gisele são as distintas circunstâncias em que os dois nasceram. Cobain teve a infelicidade de nascer numa situação adversa em muitos sentidos. Gisele nasceu numa família muito bem estruturada. Se acreditarmos nisso, estaremos afirmando, em termos mais simples, que o sucesso está estruturado em fatores alheios a nós, como a sorte de nascer em determinadas circunstâncias. Se você acredita nisso, o que dirá de pessoas como Sylvester Stallone? O erro do Fator Cobain é justamente esse: entregar sua vida a circunstâncias alheias ao seu controle. É dessa entrega que surgem os sintomas destrutivos como medo, angústia, insegurança e desespero.

Apesar disso tudo, temos uma tendência muito forte de acreditar em argumentos ou circunstâncias como sorte. Existe algo em nós que nos faz crer que a resposta para questões como: "por que ele conseguiu e eu não?", necessariamente, precisa ser complicada, além da nossa compreensão. Acreditamos que, para ter sucesso na vida, precisamos derrotar a competição e vencer o mundo. Mas não é verdade. A Lição de Delfos nos impele a olhar o mundo de uma maneira diferente, tudo o que precisamos é vencer a falsa noção que temos sobre nós mesmos.

Ao logo desse livro, falei muito sobre individualidade, e isso tem uma razão: nós somos o único obstáculo a ser vencido na busca da nossa realização, e essa é a contribuição da Lei de Delfos. Na vida, há problemas e crises inegáveis. A vida de Gisele, por ser uma celebridade, nunca foi simples, nem descomplicada, e ela nunca esperou que fosse diferente. "A vida em si é um desafio", ela confessa, apenas para, em seguida, se justificar. "Mas são justamente os desafios que nos fazem crescer".

Aqui, então, está a explicação por que Gisele consegue conviver com a pressão e Kurt Cobain não conseguiu. Gisele construiu sua imagem a partir de suas próprias opiniões. Cobain construiu uma identidade a partir da opinião dos outros. Ele era sensível, frágil e altamente afetado pelas circunstâncias a sua volta. Essas circunstâncias alteravam a percepção que ele tinha de si mesmo. Gisele, por sua vez, não importa o que aconteça a sua volta, age como se isso fosse uma circunstância, que, embora muitas vezes represente um desafio, pode fortalecê-la ao invés de destruí-la. Em outros termos, quando acontecia alguma coisa negativa na vida de Cobain, ele olhava para o mundo e dizia: o que a mídia fará de mim? Quando acontece algo negativo na vida de Gisele, ela olha para dentro de si e se pergunta: "o que eu posso fazer disso?" Em suma, o que distingue as pessoas que alcançam seus objetivos e as outras que fracassam não são os fatos e as circunstâncias que as envolvem, mas a maneira como elas lidam com eles. A diferença entre as pessoas que se fortalecem com a crise e aqueles que sucumbem é que os primeiros constroem sua personalidade de dentro para fora e os outros, de fora para dentro.

INVERTENDO O PROCESSO

Numa forma mais genérica, a Lição de Delfos, então, nos diz que é preciso construir a vida de dentro para fora, e não de fora para dentro. A busca pelo autoconhecimento revela nossa essência e nos fornece o fundamento, a base da qual extraímos o conjunto de características que nos habilitam a seguir nosso talento, nossa paixão e elaborar uma propósito específico que nos dê foco e energia para desenvolvermos nossa realização profissional.

Se olharmos o sucesso dessa maneira, como um processo de dentro para fora, e não de fora para dentro, é possível compreender por que algumas pessoas têm uma influência tão grande sobre o mundo que as cerca. Essa influência vem da sua autenticidade. Essas pessoas vivem num mundo complexo, mas não complicado. Complexo, porque estão em meio a inúmeras circunstâncias que as afetam. Descomplicado, porque elas têm o poder de agir sobre as circunstâncias, não permitindo o contrário. E esse poder lhes é dado pela Lição de Delfos.

A chave para mudar nosso comportamento, em outras palavras, está em pequenos detalhes como o filtro através do qual olhamos para as mais diferentes circunstâncias. Se o seu filtro for a Lição de Delfos, você olha para dentro de si, analisa e avalia seus pontos fortes e seus pontos fracos. Aceita ambos, lida com eles com naturalidade e, a partir deles, cria uma imagem fundamentada sobre o que ocorre. Você sabe onde está seu potencial e se sente seguro em relação a ele; também sabe seus pontos fracos e, por isso, sabe como lidar com eles. Não tem nada a esconder, nem precisa. Nada poderá lhe surpreender. Você se sente seguro porque sua imagem tem bases sólidas. As opiniões, não lhe afetam.

Se seu filtro, no entanto, for o Fator Cobain, a ameaça de ser desmascarado, de ser destruído, será constante e você precisará usar toda sua energia, o tempo todo, para preservar sua imagem virtual. Toda exposição será uma ameaça e seu foco, a defesa dessa imagem. A Lição de Delfos o estimula a inverter esse processo, descobrir o real que há dentro de você e construir sobre ele. A exposição, que no Fator Cobain é uma ameaça, na Lição de Delfos se torna uma oportunidade. Você quer que descubram quem você é, porque a exposição mostrará sua singularidade, e é nessa singularidade que está nosso valor.

CAPÍTULO 6

O paradoxo da inteligência

Por que pessoas simples conseguem resultados extraordinários enquanto muitos superdotados alcançam resultados medíocres?

CADA ANO A VICTORIA'S SECRET PROMOVE UM espetáculo para a imprensa e convidados especiais com o objetivo de expor a sua marca em nível mundial. No evento, cerca de 20 modelos conhecidas como "os anjos da Victoria's Secret" se apresentam na passarela. Muitas têm seu nome listado na relação das mulheres mais lindas do mundo elaborada anualmente pela revista *Forbes*. Na noite, elas vestem apenas lingeries e saltos finos sensuais.

Em novembro de 2002, o show aconteceu no Lexington Avenue Armony, localizado no badalado centro de Nova York. Ingressos foram vendidos por mil reais cada. Personalidades como o magnata Donald Trump, a estrela da ABC Susan Lucci e o ator Woody Harrelson estavam lá.

Nove milhões de espectadores assistiriam ao desfile que seria transmitido dias depois pela CBS. Modelos famosas como Naomi Campbell, Tyra Banks e Karolina Kurkova já garantiam o brilho da noite. Mas o que realmente atiçava a expectativa do público era Gisele Bündchen. No camarim, ela se preparava para mais uma noite de glamour. Ela sabia que era a estrela, e tratou de cuidar dos mínimos detalhes antes de subir na passarela. Quando chegou sua vez, deixou o camarim de cinta-liga preta e sapato de salto alto vermelhos. Ela sabia que, como sempre, arrancaria suspiros de quem a visse.

O que Gisele não sabia é que no momento em que entrasse na passarela, avançando em direção às câmaras, não estaria só. Quatro mulheres saltaram das primeiras fileiras e invadiram a passarela. Nas mãos, traziam cartazes com frases que agrediam a modelo. O episódio demorou menos de 30 segundos. Gisele mal soube o que estava acontecendo. Cautelosamente, seguiu seu desfile, como se tudo aquilo não fosse com ela. Mas era.

A Blackglama é uma das poucas fabricantes de roupas e acessórios que ainda usa peles de animais para confeccionar suas peças. A marca é odiada por ativistas no mundo inteiro por isso. Esse não havia sido o primeiro protesto da Peta. Na verdade, o grupo de defesa dos animais já havia criado situações semelhantes no mínimo uma centena de vezes. As manifestações acontecem em todos os lugares do mundo, a toda hora, sempre envolvendo pessoas famosas. Por que Gisele se tornou o alvo da vez? Justamente porque meses antes do desfile ela assinara um contrato com a Blackglama. Essa era a causa do problema. "Não há segredo sobre o motivo pelo qual atacamos pessoas como Gisele", confessou Ingrid Newkirk, uma das líderes da organização. "Gisele é uma modelo linda e famosa. Pessoas prestam atenção no que ela faz, e fazem o mesmo. Elas querem ser como ela. Assim, ela precisa ser lembrada que se ela comete um erro horrível, uma decisão cruel, haverá consequências tão frustrantes quanto a sua escolha".

O debate sobre o incidente no desfile da Victória Secret's se seguiu por meses. Jornalistas e consultores de moda se perguntavam, com grande desapontamento, por que Gisele, dona de uma carreira tão bem articulada, permitiu o uso de sua imagem para algo tão mal visto e tão odiado por ecologistas e ambientalistas. Ela se tornou uma lenda no mundo da moda pela maneira impecável com que vinha conduzindo sua carreira. Um erro desses pareceu incompreensível. A pergunta óbvia era: como Gisele não previu que seu envolvimento com a Blackglama lhe traria um desgaste imenso, se esse tipo de protesto já havia acontecido uma centena de vezes antes? Em outras palavras, como alguém tão inteligente comete um erro tão previsível?

DESAFIANDO O MITO

No início do inverno de 1996, as estações de metrô e ruas da Filadélfia ostentavam cartazes com um anúncio estranho. Um homem, com ar sombrio e ponderado, olhava por sobre um tabuleiro de xadrez. Abaixo de seu queixo, uma pequena legenda perguntava: "Como se faz um computador piscar?" O homem cuja imagem estava no cartaz tinha em torno de 30 anos. Seu nome era Garry Kasparov. Ele era o campeão mundial de xadrez. Para muitos, o melhor de todos os tempos. O cartaz dizia que Kasparov enfrentaria *Deep Blue*, um supercomputador desenvolvido pela IBM. A disputa estava marcada para fevereiro, no majestoso Centro de Convenções de Filadélfia.

Em todos os aspectos, a disputa entre Kasparov e *Deep Blue* foi um feito extraordinário. Desde o surgimento dos computadores, nos anos 50, cientistas e engenheiros sentiam-se desafiados a criar um programa capaz de derrotar o homem num tabuleiro. Para chegar até a versão do *Deep Blue*, a IBM investiu mais de 15 anos de pesquisa. O projeto não envolveu apenas especialistas em informática. Outras pessoas altamente qualificadas, como o Grandmaster Joel Benjamim, várias vezes campeão americano, foram integradas à equipe ao longo do processo. Kasparov já havia enfrentado uma versão anterior do *Deep Blue*, o *Deep Thought*, em 1989. Na época, Kasparov venceu fácil. Mas quase uma década depois, o *Deep Blue* era outra máquina. Sua configuração lhe permitia avaliar 100 milhões de jogadas por segundo, enquanto que um jogador do potencial de Kasparov necessita, em média, 15 segundos para avaliar uma única jogada. Por tudo isso, a disputa entre Kasparov e *Deep Blue* é talvez a partida mais conhecida na história do xadrez.

Especialistas viam esse confronto como algo muito além de uma simples disputa entre um homem e uma máquina. Ele foi considerado um duelo entre dois tipos de inteligência. De um lado, estava Kasparov, com uma capacidade técnica muito inferior, mas com a extraordinária vantagem da complexidade enigmática da mente humana. Kasparov era um gênio capaz de navegar habilmente pelas posições mais inusitadas e mais intrincadas do tabuleiro, mas com medos, indecisões, angústias e tantos outros sentimentos que brotam da nossa psique desorientada. Do outro lado, estava *Deep Blue*, um supercomputador, frio, ágil, voraz, com uma capacidade analítica milhares de vezes superior à de seu adversário, pronto para provar a superioridade da inteligência puramente racional da máquina.

Imagine que você está no auditório do Centro de Convenções da Filadélfia minutos antes do início da partida. No auditório lotado, as pessoas fazem apostas. Você se sente estimulado a entrar no clima do jogo. Faltam alguns minutos para que a rodada se encerre. Rapidamente, você analisa as circunstâncias. De um lado, tem o *Deep Blue*, com seu currículo e seu potencial. Do outro, tem Kasparov. Em quem você apostaria?

Considerando que o *Deep Blue* possui a capacidade de analisar 1,5 bilhão de jogadas enquanto Kasparov analisa apenas uma, a tentação maior seria apostar em *Deep Blue*, correto? Porém, levando em conta o resultado do jogo — Kasparov venceu *Deep Blue* naquele dia, apesar de todas as vantagens aparentes do computador—, essa teria sido a escolha errada. Por que você teria sido induzido ao erro?

Acontece que o ser humano tem uma inclinação natural a fazer escolhas seguindo determinadas convicções pré-estabelecidas. No caso da aposta entre Kasparov e *Deep Blue*, a opção pelo *Deep Blue* partiu do princípio inconsciente de que a inteligência é algo fixo e, por isso, mensurável. Na hora de fazer a escolha nossa mente seguiu os passos dessa convicção. Ou seja: o *Deep Blue* possui a capacidade de analisar 1,5 bilhão de jogadas enquanto Kasparov analisa apenas uma, logo, a vantagem é do computador. A maior parte de nossas escolhas é feita dessa maneira. Avaliamos de forma racional o que vemos e tomamos nossas decisões. O fato é que há um problema com esse tipo de análise. Ela quase sempre nos induz ao erro.

Por que isso acontece? Esse é um erro que ocorre no nosso subconsciente. Incapaz de levar em conta todas as pequenas circunstâncias que envolvem o momento, nosso cérebro cria pontes entre as percepções mais evidentes. Ele usa essas pontes e cria atalhos para formar análises rápidas e instantâneas para tomar decisões imediatas. O equívoco acontece quando as informações que temos estocado na mente são incompletas ou insuficientes. No caso da aposta entre Kasparov e *Deep Blue*, por exemplo, deixamos de analisar o fato de que o computador não pode fazer suposições, não pode definir prioridades, não pode levantar problemas a não ser aqueles para os quais foi programado. Como consequência, ele não pode refletir sobre seu desempenho, aprender com seus erros e com os erros do adversário. Em outras palavras, ele não tem consciência. Ele somente é capaz de atuar sobre informações e dados com os quais ele foi previamente alimentado por um operador.

Quando os jornalistas se questionaram sobre como Gisele cometeu um erro tão previsível, eles incorreram no mesmo equívoco. Para fazer essa pergunta, eles também partiram de uma aparente interpretação lógica e racional, mas que, no fundo, por partir de premissas erradas, é ilógica e irracional. Gisele é uma pessoa bem sucedida, eles pensaram, sua carreira tem um histórico impecável, e como o sucesso é resultado da inteligência, torna-se claro, então, que ela possui uma inteligência muito superior à maioria das pessoas. Logo, por possuir uma inteligência muito superior à maioria, ela não deveria cometer erros que a maioria comete. Isso parece lógico, porque temos a convicção de que o sucesso está diretamente relacionado com a inteligência. É por isso que ficamos tão admirados quando uma pessoa de sucesso comete um deslize. Não nos surpreendemos, por exemplo, quando uma pessoa comum erra, mas não conseguimos compreender e nem explicar os mesmos erros quando são cometidos por pessoas de sucesso. Se você perguntasse a Kasparov por que ele aceitou uma disputa tão desproporcional, sua primeira reação, possivelmente, seria discordar da desproporcionalidade. Para concordar com a aparente vantagem do *Deep Blue*, Kasparov deveria crer, como muitos de nós, que a inteligência é mensurável. Se ele acreditasse nisso, teria sido absurdo aceitar o confronto.

A diferença está no fato de que pessoas como Gisele e Kasparov, como todas as pessoas de sucesso, não fazem esse tipo de análise. Elas têm uma visão completamente diferente. Primeiro, elas sabem que não são mais inteligentes, espertas ou privilegiadas do que a maioria. Elas sabem que, ao longo do caminho, cometerão uma infinidade de erros. Aliás, elas sabem que, para chegar onde estão, muita coisa do que conquistaram só foi possível após longos anos de tentativas. E não poucas vezes, essa tentativa as levou ao erro. Mas elas não têm grande problema em lidar com isso porque sabem que não são e que nunca serão perfeitas. Elas apenas são autênticas. O desejo e a necessidade da perfeição se manifestam em nós quando não somos autênticos. Eu falei sobre isso amplamente no capítulo anterior. Vimos que temos uma tendência impulsiva de criar uma imagem de perfeição sobre nós mesmos e nos confundir com essa imagem. Pessoas felizes e de sucesso seguem um caminho inverso. Veja, por exemplo, a ação de Gisele diante do protesto da Peta. O que você pensa que ela fez? Primeiro, ela assumiu a responsabilidade sobre o ocorrido. Depois, reconheceu o erro e pediu desculpas. "Foi uma decisão errada da minha parte. Eu não uso roupas de pele e entendo perfeitamente a causa dos ativistas da Peta", ela disse.

À primeira vista, talvez, isso possa soar como um chavão. O tipo que se usa para justificar uma situação complicada. Mas não é. Gisele foi sincera. Ela disse o que realmente sentia. Pessoas de sucesso não veem o erro como parte da característica de sua personalidade. Para elas, erros são situações limitadas, ocasionais e até inevitáveis. Elas lidam com eles de forma autêntica, clara e espontânea. Tiram o máximo de proveito das lições que eles oferecem. Enquanto muitos, na plateia, ficam curiosos, esperando o mundo cair, pessoas de sucesso saem de situações constrangedoras revigoradas, ainda mais fortes.

O ERRO DE TERMAN

Tente imaginar, por exemplo, como teria sido sua vida, se, aos dez anos, um cientista de uma das universidades mais aclamadas do mundo visitasse sua escola para aplicar um teste de inteligência aos alunos e, ao analisar os resultados, constatasse que você está no seleto grupo de pessoas que possui um QI superior a 140. Em outras palavras, esse cientista teria descoberto que você, literalmente, era um gênio e o teria recrutado para participar de um estudo. A partir daquele momento, um grupo de psicólogos e cientistas lhe dariam toda a assistência que você fosse capaz de imaginar. Você teria alguma dúvida de que sua vida teria sido, inevitavelmente, condicionada ao sucesso? Será que você poderia realmente ter certeza disso sem se frustrar mais tarde? Até onde a falta de inteligência distingue as pessoas comuns das pessoas bem sucedidas?

O psicólogo americano Lewis Terman acreditava cegamente que, com exceção da moral, talvez nada num indivíduo fosse tão importante como a sua inteligência. A especialidade de Terman era elaborar testes de inteligência. Ele acreditava, de forma convicta, que o futuro dos Estados Unidos, como de qualquer outra nação, dependia de um único fator: descobrir quem eram as crianças mais brilhantes em cada geração e dar-lhes uma educação apropriada. "O futuro de um país depende em alto grau da educação das crianças mais bem dotadas mentalmente", escreveu Terman. "Habilidades medianas podem acompanhar os avanços, mas os gênios precisam abrir o caminho", disse. Em outras palavras, Terman tinha uma ideia aparentemente extraordinária. Ele acreditava que se um país identificasse seus gênios ainda na infância, e lhes proporcionasse uma educação adequada, eles garantiriam um futuro promissor para essa nação.

Obcecado por essa ideia, ele iniciou um dos estudos mais polêmicos na área de ciências sociais de todos os tempos. Depois de arrecadar generosos recursos para financiar seu projeto, reuniu um grupo de pesquisadores e iniciou o programa conhecido como os *Estudos Genéticos dos Gênios de Terman*. Sua meta era identificar o maior número possível de crianças superdotadas intelectualmente, para depois acompanhar e orientar seus passos durante o resto de suas vidas. Durante um ano, Terman e sua equipe peregrinaram pelas escolas de ensino fundamental da Califórnia. Com a ajuda dos professores, separaram as crianças mais brilhantes das turmas e as submeteram a um teste para medir seu nível de inteligência, o QI.

O coeficiente de inteligência, QI, é uma medida obtida por meio de testes que avaliam as capacidades cognitivas de uma pessoa em comparação ao seu grupo etário. A pessoa que tem um QI entre 90 e 109 é considerada com um nível de inteligência médio. Entre 110 e 120, está acima da média mas ainda não é considerada um gênio. Para ser considerado um gênio é preciso alcançar mais de 140 nesse exame. O coeficiente de Einstein, por exemplo, era 150. Cientistas consideram que cerca de 70% da população possui um QI entre 85 e 115. Apenas 1% tem um coeficiente superior ou igual a 136. Era essa minoria que interessava a Terman. No primeiro estágio, foram recrutadas crianças que alcançavam mais de 130 pontos no teste. Esse grupo foi submetido a um segundo teste. Apenas quem possuía um coeficiente igual ou superior a 140 era escolhido.

Terman e sua equipe avaliaram 250 mil alunos das escolas de ensinos fundamental e médio da Califórnia. Deste total, 1.470 possuíam um QI acima de 140. Esse grupo de crianças superdotadas passou a ser conhecido como Térmites, ou Os Gênios de Terman. A equipe de pesquisadores coletou todos os dados de cada um deles. Pelo resto da vida, Terman rastreou, testou, mediu, analisou e orientou cada um desses estudantes. Não só isso. Ele fazia questão de auxiliá-los pessoalmente em tudo o que era necessário. Quando eles se candidatavam a alguma universidade, curso ou emprego, ele escrevia cartas de apresentação, concedia referências, fornecia-lhes orientação, conselhos e assim por diante. Cada detalhe era anotado em arquivos individuais que ele mantinha de cada aluno. Ele estava convencido de que, quando adultos, seus gênios seriam a elite intelectual dos Estados Unidos.

Décadas depois, quando os gênios de Terman já estavam com a vida profissional definida, ele separou 730, a metade deles, e analisou com cuidado cada detalhe de seus currículos. No final da análise, separou-os em três grupos. No grupo A, incluiu aqueles que haviam atingido um sucesso considerável. Era o grupo composto por professores universitários, juízes, economistas, empresários de sucesso e profissionais liberais reconhecidos. Esse grupo era compreendido por 20%. No grupo B, Terman selecionou aqueles que alcançaram sucesso satisfatório, mas sem grandes excepcionalidades. Eles possuíam rendimentos normais, com salários razoáveis, mas não representavam verdadeiras histórias de sucesso. Este grupo era a grande maioria. Representavam 60%. Os outros 20% estavam no grupo C. Estes eram os que atingiram um nível entre razoável e ruim. Um terço deles não havia concluído a faculdade. Outros sequer ingressaram num curso superior. Boa parte estava desempregada e vivia do seguro social do governo.

Esses resultados frustraram Terman profundamente. Ele teve de admitir que toda sua expectativa, de que essas crianças, com sua genialidade, seriam a elite americana quando adultas, foi um equívoco. Os resultados o obrigaram a aceitar a ideia de que o nível de inteligência de uma criança, ou seu desempenho escolar, não é necessariamente um sinal de sucesso no futuro. O estudo fica ainda mais perturbador se analisarmos outro detalhe: das 1.470 crianças selecionadas por Terman não saiu nenhum candidato à presidência da República e nem mesmo ao Prêmio Nobel. Do grupo de alunos rejeitados por terem um QI inferior a 140, saíram dois Nobel em Física: William Shockley, em 1956; e Luiz Alvarez, em 1968. Anos mais tarde, ao analisar o Estudo Genético dos Gênios de Terman, o sociólogo Pitirim Sorokin, da Universidade Harvard, disse que se Terman e sua equipe tivessem selecionado essas crianças de modo aleatório, sem aplicar o teste de QI, os resultados finais seriam os mesmos. "Não há nada extra em termos de imaginação ou de padrões de genialidade que mostre que o grupo de superdotados, como um todo, é superdotado", escreveu Sorokin.

Novos estudos reproduziram essas experiências em inúmeras diferentes variações, como o de George Vaillant, envolvendo estudantes da Universidade Harvard. Localizada às margens do Rio Charles, em Cambridge, Massachusetts, Harvard é um dos lugares mais eminentes do mundo. Estudar ali é privilégio de muito poucos. Muitas das figuras mais ilustres do mundo passaram por lá. O mínimo que se espera de alguém graduado com distinção em Harvard é uma posição de distinção na vida. Na década de 40, Vaillant separou 95 acadêmicos de Harvard com idades entre 17 e 18 anos. Ao longo dos vinte anos seguintes, ele rastreou a vida de cada um deles. Analisou seus salários, a produtividade, o status social e o desempenho de cada um em seu campo de atuação. O objetivo de Vaillant era descobrir se um excelente desempenho numa das universidades mais conceituadas do mundo era sinônimo de sucesso.

O que Vaillant descobriu não é muito diferente dos resultados obtidos por Terman. Os estudantes que tiveram as melhores notas na universidade não foram, necessariamente, os que se saíram melhor nos campos analisados. Eles também não tiveram uma vida mais satisfatória, nem mesmo alcançaram mais sucesso na vida privada. Suas relações com os amigos, a família e o cônjuge, não eram melhores do que as dos colegas com um desempenho inferior. Outro estudo similar, realizado em Michigan, também apresentou resultados similares. Uma equipe selecionou 450 meninos, dos quais um terço tinha um QI inferior a 90. Os demais possuíam QI superior ou igual a 100. A equipe seguiu esses meninos até a vida adulta. Décadas depois, quando compararam o desempenho dos que tinham um QI inferior a 90 com os demais, também perceberam pouca diferença. Em determinado período da vida adulta, por exemplo, cerca de 7% dos que possuíam um QI menor do que 90 estavam desempregados. Dos que tinham QI acima de 100, o mesmo percentual, 7%, estava na mesma condição.

Onde, então, está o erro de Terman? O que a história dos Gênios de Terman ensina sobre o sucesso? Ela deixa claro que a ideia de que a inteligência é capaz de ser traduzida num número fixo, como um coeficiente, é falsa. Outro erro, ainda maior, é acreditar que esse coeficiente é definitivo no sucesso das pessoas. A história de Kasparov, que vimos no início desse capítulo, já nos provou que a inteligência não pode ser captada e transformada em números. O sucesso nunca resulta da análise comparativa, não importa se essa análise seja um QI de 150 contra outro de 90, ou se é uma máquina com capacidade de avaliar 100 milhões de circunstâncias em um segundo, contra um ser humano, capaz de avaliar uma única circunstância, em 15 segundos.

No entanto, cometer esse erro é muito mais comum do que pensamos. Temos uma tendência a interpretar a inteligência como uma simples determinação racional e lógica. Mas ela não é. Kasparov, por exemplo, apesar de ter uma capacidade analítica muito inferior ao computador, criou uma ampla vantagem através da capacidade de aprender com seus erros e acertos. Kasparov possui a habilidade de se adaptar rapidamente às circunstâncias, a flexibilidade para interpretar o meio que o cerca. O *Deep Blue,* ao contrário, não é um sistema de aprendizado. Seu poder é fixo, estático. Ele não possui a capacidade de utilizar a inteligência para aprender ao longo do processo. Ele não tem condições de reconhecer seus erros, e, por isso, não tem como aprender com eles. Essa é a lição que a história de Kasparov nos ensina: o sucesso não está na quantidade de inteligência que temos, mas no uso que fizermos dela. Essa diferença é crítica na compreensão do sucesso.

UM CONCEITO NOVO

Por mais contundente que os efeitos das conclusões desses estudos tenham sido, elas ainda não alteraram a base do modo como compreendemos o sucesso. Essa é uma questão óbvia, mas que insistimos em ignorar. Temos uma tendência a acreditar que a inteligência justifica, em grande parte, as razões que distinguem os poucos que vencem na vida da grande massa, que fracassa. Ao longo dos anos, essa convicção emudeceu qualquer pergunta contrária e se petrificou em nós. Mesmo provando o contrário, por meio de estudos e análises, essa convicção não desaparece.

Quase um século depois dos estudos de Terman, provando que tudo o que se pensava sobre inteligência não é verdade, ainda estamos convencidos de que apenas aqueles no topo da escala, os superdotados, possuem potencial para superar os obstáculos necessários para alcançar o sucesso. Que outra explicação nós temos? No nosso inconsciente, essa falsa noção nunca nos abandonou.

Se quisermos sair desse paradoxo, convém examinar mais de perto a maneira como nos relacionamos com conceitos sobre inteligência e tentar uma compreensão que nos permita estabelecer com mais nitidez as condições para usar nossa inteligência de maneira mais adequada. Se quisermos compreender os fatores fundamentais que envolvem o sucesso, o primeiro passo é descobrir qual a nossa concepção sobre a inteligência. Até agora, no breve esboço feito nesse capítulo, vimos de forma clara que não é o grau de inteligência que resulta em sucesso.

Anos atrás, um grupo de psicólogos liderados por Carol S. Dweck decidiu realizar um estudo sobre a influência que a maneira como concebemos a inteligência exerce na nossa vida. Primeiro, eles queriam saber como os alunos percebiam a inteligência. Para isso, propuseram duas alternativas.

ALTERNATIVA 1:

A inteligência é vista como algo fixo e pré-estabelecido. Sob esse ponto de vista, todos têm um determinado grau de inteligência. Alguns, com mais sorte, nasceram com muita inteligência. Outros, menos afortunados, nasceram com pouca.

ALTERNATIVA 2:

A inteligência é um potencial que pode ser desenvolvido ao longo da vida. O que não quer dizer que todo mundo é igual. Mas que a inteligência é um potencial e que pode ser desenvolvido por qualquer pessoa. A inteligência não é um dom. Ela pode ser criada através de trabalho árduo, enfrentando desafios, lutando para aprender. É a convicção de que os desafios e momentos difíceis são exatamente os momentos que nos permitem criar alternativas e desenvolver nossa inteligência.

Em seguida, cada aluno tinha de escolher entre essas duas alternativas aquela que combinava com sua visão pessoal. Depois, os pesquisadores separaram os entrevistados em dois grupos. No primeiro, colocaram aqueles que viam a inteligência como algo fixo. No segundo, aqueles que a viam como algo maleável, capaz de ser desenvolvida.

Nos dias seguintes, a equipe simulou vários cenários onde os estudantes se viam diante de intensas frustrações e fracassos. Depois compararam a atitude dos dois grupos. O resultado: cada um lidava com a situação de maneira muito distinta. Para os alunos que defendiam a inteligência como algo fixo, o fracasso era considerado um sinônimo de ignorância. A derrota era dolorosa e confusa. O insucesso era visto como uma inferioridade intelectual. Eles se consideravam tolos e fracassados, sentiam-se devastados. Independentemente dos resultados positivos alcançados antes, eles se consideravam incapazes de ter êxito no futuro. E, diante da situação, disseram que desistiriam das suas metas. Eles perdiam a fé e se fechavam, se retraíam.

Os outros, que viam a inteligência como um fator maleável, também confessaram certa insatisfação e desapontamento com os resultados negativos. Mas apresentaram uma reação muito diferente. Ao invés de condenar seu grau de inteligência, eles condenaram a maneira como haviam se preparado para o desafio. Eles disseram que se esforçariam para identificar os motivos pelos quais falharam e que pensariam numa forma de superar o fracasso inicial. Para estes, o fracasso revelou detalhes sobre o nível de preparo, a falta de eficácia de suas estratégias e o seu nível de esforço. A derrota era algo temporário. A circunstância apenas lhes disse que, se quisessem ter sucesso, era preciso fazer alguma coisa diferente no futuro, e essa, confessaram, passaria a ser sua meta.

O PARADOXO DA INTELIGÊNCIA

O que o estudo da equipe de Dweck nos ensina? Ele revela um dos conceitos mais fascinantes na compreensão dos padrões comportamentais que diferenciam as pessoas umas das outras, em termos de sucesso. Não é a inteligência, mas a maneira como você vê a inteligência que realmente interessa. Essa capacidade de discernimento é essencial em todos os domínios da vida. Por mais elevado que seja o seu QI, se você acreditar que a inteligência é fixa, cada vez que cometer um erro, a conclusão inevitável será: eu não sou tão inteligente assim, e acaba desistindo muito antes do tempo. Ao contrário, se você acredita que a inteligência é um fator que pode ser desenvolvido, irá se focar num desenvolvimento em longo prazo, consciente, de antemão, que ninguém é perfeito e de que não precisamos da perfeição para realizar nosso propósito. Você passa a compreender que cometer deslizes é normal e, muitas vezes, edificante. Nesse caso, temos capacidade de admitir nossos erros e de retomarmos nosso caminho.

Nessas duas definições existem pistas significativas para compreender por que pessoas com um baixo nível de inteligência conseguem resultados muito mais positivos do que seus pares mais bem dotados intelectualmente. Basicamente, podemos identificar três tipos de implicações.

A primeira é que quando pensamos na inteligência como algo pré-estabelecido, não temos um modo adequado para medi-la. Nesse caso, olhamos em torno, em busca de referências. Concentramo-nos em cada ato particular, exigindo sucesso absoluto em cada ação para provar nossa inteligência. Qualquer deslize negará a imagem de perfeição com a qual nos definimos.

Por isso, vivemos num constante estado de insegurança. A insegurança é baseada num conceito ou crença de incapacidade. Se você sente que não está à altura do que lhe é exigido, se sente inseguro.

A segunda implicação é a ideia de que se você é perfeito e superior aos demais, não há necessidade de lutar, nem mesmo de tentar. Se for apanhado tentando alcançar uma meta e não conseguir, o fracasso pode provar que você não é perfeito nem superior. Então, é melhor nem tentar. Essa implicação impede nosso crescimento em todos os sentidos.

A terceira implicação é negar sua responsabilidade. Quando negamos nossa responsabilidade, tentamos proteger nossa imagem da exposição, da dor e da humilhação. Cometer erros é profundamente doloroso para a pessoa que se projeta mentalmente como perfeita. Ela finge ser perfeita em tudo o que faz e suspeita que os erros ofusquem sua imagem de perfeição. Se admitirmos o erro, nossa imagem de perfeição, nosso eu virtual, sucumbe. Nesse caso, assumir a responsabilidade sobre um erro é uma questão de vida ou morte.

A TEORIA DE GARDNER

Estudos recentes revelam que, na melhor das hipóteses, o QI contribui com cerca de 20% para o sucesso na vida de uma pessoa, o que deixa 80% para outros fatores. Isso nos diz que um ser humano é muito mais do que sua herança genética, ou sua mera capacidade racional de analisar dados propostos. "Se Hitler fosse clonado e distribuído por todos os Estados Unidos, provavelmente teríamos alguns cidadãos de primeira", ironizou Clement Markert, um respeitado professor de genética da Yale University. Se a herança genética não é tudo, se o QI responde por apenas 20% do êxito, quais são os demais fatores que contribuem com 80%?

Howard Gardner, especialista em educação de Harvard, afirma que há centenas de maneiras de ser bem sucedido. Há muitas aptidões diferentes que ajudam as pessoas a chegar lá. Ele argumenta que existem no mínimo oito campos distintos de inteligência, e que praticamente todas as pessoas têm um nível de genialidade em pelo menos um segmento desses campos. Isso quer dizer, claramente, que você é um gênio, basta descobrir em que campo está essa genialidade e desenvolvê-la.

Para descobrir e desenvolver nossa genialidade, Gardner propõe mudanças radicais no sistema de ensino, alterando o papel da escola na educação das crianças. Ele defende a ideia de que a contribuição mais importante que a escola pode dar para o desenvolvimento cognitivo de uma criança é ajudá-la a encaminhar-se para um campo onde seus talentos se adaptem melhor, onde ela se sinta feliz, realizada e competente. "Perdemos isso completamente de vista", argumenta. "Em vez disso, sujeitamos todos a uma educação em que, se você for bem sucedido, estará bem mais capacitado para ser professor universitário. E avaliamos todos ao longo do percurso pelo modo como correspondem a esse estreito padrão de sucesso. Deveríamos gastar menos tempo classificando crianças e mais tempo ajudando-as a identificar suas aptidões e dons naturais e a cultivá-los".

Minha intenção não é afirmar que a educação formal não tem importância na vida das pessoas. Isso está fora de questão. O que estou afirmando é que continuamos fingindo que o sucesso é uma questão hereditária. Que apenas pessoas que nasceram com uma capacidade extraordinária, e com oportunidades reais de desenvolver essa capacidade, atingem o sucesso. E os exemplos utilizados até aqui provam que isso não é verdade. Portanto, estou tentando convencê-lo a refletir com mais atenção sobre isso.

Se você analisar a questão mais de perto, verá que a inteligência ou o desempenho na escola teve pouca influência nos resultados práticos das pessoas que alcançaram sucesso extraordinário. Gisele Bündchen é apenas uma prova disso. Vimos, por exemplo, que Einstein teve sérios problemas ao longo da sua vida acadêmica. E o que dizer de Sylvester Stallone? Outro exemplo claro é o da escritora Elizabeth Gilbert. Veja como ela classifica o papel da escola na formação dela como escritora:

> Frequentei algumas aulas de redação quando eu estudava na Universidade de Nova York. Mas senti que não queria praticar esse tipo de experiência numa sala de aula. Eu não estava convicta de que uma sala de aula fosse o melhor lugar para descobrir minha própria voz. Então fiz tudo por conta própria.

Aos 19 anos, Elizabeth começou a enviar suas histórias para agentes e editoras. Durante mais de dez anos, só conseguiu a indiferença. Mas ela não desistiu. Mesmo não obtendo resultados positivos, manteve a disciplina e a determinação em relação ao seu propósito. "Eu me tornei uma escritora da mesma forma como outras pessoas se tornam monges. Eu fiz um postulado com a literatura, e a partir desse compromisso, construí minha vida em torno dela. Eu não sabia como fazê-lo de outra forma. Não conhecia ninguém que havia se transformado em escritor. Eu não tinha ideia do que era necessário para viver da literatura. Eu apenas escrevia", ela conta.

Essas são histórias de pessoas comuns. Elas não tinham nenhum recurso ou traço de caráter que lhes desse uma vantagem excepcional na busca por uma vida melhor. Seu sucesso é uma questão de mérito pessoal. Todas elas apresentam padrões evidentes muito óbvios. Tão óbvios que não nos permitimos levá-los a sério, e acabamos ignorando-os completamente. Se você ainda tem dúvidas sobre isso, faça um teste com você mesmo: pense sobre aquela chama que ardia em você durante a infância. Imagine que você tenha desenvolvido essa chama ao longo dos anos. Será que você não seria altamente eficiente, produtivo e bem sucedido nesse campo? Pense sobre aquilo que você tem talento, que você ama fazer, se tivesse se especializado nisso, será que não teria obtido uma vida cheia de sucesso e felicidade?

A ÚNICA LIÇÃO DE WARREN BUFFETT

Todo ano, a Revista Forbes publica uma lista das 400 pessoas mais ricas dos Estados Unidos. De ano para ano, os nomes flutuam. Uns se movimentam para cima; outros, para baixo. Warren Buffet nunca desceu muito no topo da lista. Há décadas, seu nome aparece entre os cinco primeiros. Sua fortuna ultrapassa os US$ 65 bilhões. Ele começou sua carreira em 1956, quando abriu uma sociedade com um investimento de parcos US$ 100. Treze anos depois, seu capital líquido era de US$ 25 milhões. Em 2007, seu capital era estimado em US$ 52 bilhões.

Não é fácil descrever uma pessoa como Warren Buffett. Apesar de ser um dos homens mais ricos do mundo, ele é famoso por levar uma vida frugal e despretensiosa. Aos 79 anos, demonstra a mesma energia que tinha no início da carreira. Ainda reside na primeira casa que adquiriu e doou a maior parte da sua fortuna para instituições de caridade. Nos negócios, ele é considerado um gênio. No dia-a-dia, ele é simples, direto, honesto. Frequentemente, ele afirma que qualquer pessoa é capaz de fazer qualquer uma das coisas que ele fez. "Não precisamos ser mais inteligentes do que o resto. Apenas precisamos ser mais disciplinados", ele disse a sua equipe, em 2002.

Alguns anos atrás, ele foi o palestrante num seminário na Universidade de Nebraska, seu Estado natal. Tentou convencer os estudantes de que o sucesso não é algo místico, complicado, e de que não é verdade que apenas pessoas com inteligência extraordinária sejam capazes de alcançá-lo. "Não sou diferente de nenhum de vocês", ele disse. Os estudantes caíram na gargalhada. "Estou falando sério", ele insistiu. Os alunos voltaram a rir. Warren Buffet continuou. "Posso ter mais dinheiro. Mas não é o dinheiro que faz a diferença. Evidente que, se quiser, posso comprar um terno de um estilista famoso, feito para mim sob medida e isso não faria nenhuma diferença na minha conta bancária. Mas eu não me importo muito com isso", ele disse. "Creiam: prefiro um x-burguer do Dairy Queen a uma refeição de US$ 100". Aos poucos, os alunos passaram a olhá-lo com um ar pasmo. Buffet prosseguiu: "Se há uma diferença entre mim e qualquer um de vocês, ela talvez esteja no fato de que eu me levanto todo dia com a oportunidade de fazer aquilo que eu gosto. Por sinal, se eu tenho uma coisa a ensinar para vocês, talvez seja isso. Esse é o melhor conselho que eu posso dar".

Warren Buffet, nessa passagem curta, confirma as duas lições principais abordadas nesse capítulo. A primeira lição é que as pessoas que realizam coisas extraordinárias não são diferentes da maioria. A segunda é que a diferença está na no fato de elas fazerem o que gostam. Dito de forma simples assim, isso até pode ser difícil de acreditar. Mas esse é apenas mais um dos princípios óbvios que ignoramos. Aliás, você já se perguntou por que temos tanta dificuldade em aceitar que, em termos gerais, somos iguais às pessoas que admiramos, mesmo que elas insistam em dizer que não há diferença alguma entre nós? Basicamente, duas razões nos dão essa resposta. A primeira é a tendência de, mesmo inconscientemente, identificar as pessoas com a imagem virtual que criamos sobre elas. Afinal, é dessa forma que identificamos a nós mesmos. A segunda é a nossa crença de que pessoas inteligentes não precisam de nenhum esforço para conseguir resultados extraordinários. Olhamos para essas pessoas e pensamos que para elas tudo é muito simples. Acreditamos que elas nasceram com a ampla vantagem de uma super inteligência.

Considere, por exemplo, qual é a primeira coisa que nos vem à mente quando vemos uma pessoa bem sucedida? Fazendo análises superficiais, criamos uma reação para justificar o motivo pela qual elas estão lá. Em compensação, nos defendemos, buscamos uma série de desculpas para nos isentar de qualquer culpa do fracasso. Em outras palavras, caímos na armadilha do paradoxo da inteligência, acreditando que a inteligência é algo fixo, não temos disposição de tomar as medidas necessárias para remediar nossas deficiências. Estamos tão preocupados em aparentar uma falsa perfeição, que agimos de uma maneira boba, renunciando à chance de aprender e de desenvolver nossa inteligência.

CAPÍTULO 7

O poder das convicções

Por que é tão difícil mudar mesmo quando colecionamos erros e como podemos alterar esse quadro?

JOSHUA BELL É UMA DAS MAIORES CELEBRIDAdes da música clássica contemporânea. Muitos críticos o consideram o melhor violinista da sua geração. Revistas especializadas se referem a ele como virtuoso e prodígio. Em fevereiro de 2010, ele realizou um concerto no Carneggie Hall, em Nova York. Nos dias que antecederam o evento, ingressos eram vendidos a US$ 300 cada. Joshua Bell é uma das poucas pessoas que possuem um violino Stradivarius. Pagou US$ 3,5 milhões pelo instrumento. Ele possui 30 títulos gravados e acumula muitos prêmios. Entre eles, um Grammy e um Emmy. Sua interpretação em *O violino vermelho* contribuiu para que o filme recebesse o Oscar de Melhor Trilha Sonora Original.

Joshua Bell é alto e extremamente bonito. Alguns anos atrás, a *People* o elegeu uma das 50 pessoas mais bonitas do mundo. Sua beleza e genialidade fazem com que ele seja requisitado para muitas entrevistas em programas de televisão. Ele também aparece em inúmeros comerciais de marcas famosas. Tudo isso faz de Bell uma estrela de primeira grandeza conhecida em todo mundo, mas especialmente nos Estados Unidos, sua terra natal. Levando tudo isso em consideração, o que se esperaria de uma apresentação de Bell em um saguão de uma estação de metrô, é um público histérico, incontrolável. Mas dependendo das circunstâncias, pode ser exatamente o contrário.

Em janeiro de 2007, Joshua Bell aceitou tocar numa estação de metrô de Washington D.C. A ideia foi do crítico de música Gene Weingarten, do *Washington Post*. Weingarten tinha um propósito especial para a apresentação de Bell. Ele queria ver quantas pessoas reconheceriam o violinista, ou mesmo quem dedicaria alguns minutos de atenção em reconhecimento à qualidade da música que estava sendo tocada ali. Para não estragar o fator surpresa, a preparação do evento foi mantida em sigilo absoluto.

No dia combinado, uma manhã de sexta-feira, Bell chegou cedo à estação do *L'enfant Plaza*. Ele vestia uma calça jeans e uma camiseta preta. Na cabeça, trazia um boné do time de beisebol de Washington. Assim que chegou ao saguão da estação, ele se aconchegou junto à parede, ao lado de uma lixeira, onde costumeiramente os artistas de rua se apresentam. De uma pequena caixa, tirou o seu Stradivarius. Depois, colocou a caixa vazia aberta diante de seus pés. Pôs a mão no bolso, tirou algumas moedas e notas de um dólar e as deixou cair na caixa. Em seguida, começou a tocar. Era por volta das oito horas da manhã. Um dos momentos mais movimentados do dia naquela estação. Bell tocou seu Stradivarius durante 45 minutos e foi praticamente ignorado todo o tempo.

Cerca de duas mil pessoas passaram por ele. Pouquíssimas lhe deram atenção e quase ninguém parou para ouvi-lo. Ali estava um dos maiores violinistas do mundo, tocando com um violino que vale US$ 3,5 milhões, interpretando com perfeição os maiores músicos da história, e ele passou despercebido. Em quase uma hora, num país acostumado a dar gorjeta a revelia, Bell não recebeu mais do que US$ 30. "Era uma sensação estranha a de que as pessoas estavam me ignorando", ele disse depois, para Weingarten. A estação *L'enfant* fica no núcleo da capital americana. A maioria dos transeuntes é de funcionários do governo, pessoas de classe média. Muitos deles, certamente, em algum momento da vida, havia desembolsado mais de US$ 100 para assistir a um concerto igual ou inferior ao de Joshua Bell. Ali, porém, o ignoraram. Como isso se explica?

NOSSAS ESCOLHAS INVOLUNTÁRIAS

O talento de Bell não diminuiu por tocar numa estação de metrô. Seu charme continuou o mesmo. Sua música também não era diferente da que ele tocava nos palcos. Qual foi, então, o fator que fez com que ele passasse despercebido? A resposta está nas nossas convicções. Uma convicção é a certeza obtida por fatos ou razões que não deixam dúvida e nem dão lugar a objeção. Essa opinião firme forma um modelo, um padrão, uma persuasão íntima que passa a fazer parte dos princípios que conduzem nossas ações. Elas são o piloto automático que dirige nossas vidas.

Pense, por um momento, nas vezes que você viu alguém tocando um instrumento numa estação de metrô, rodoviária, praça ou mesmo em calçadões públicos? O que você pensou sobre essas pessoas? Sabemos muito bem, por experiência, que um músico que se apresenta nesses locais não é bom músico. Pelo menos, não é extraordinário. Se fosse, não estaria se apresentando num local público, por gorjeta. Por isso, na maioria das vezes, ignoramos esse tipo de apresentação. Foi por essa mesma razão que ninguém deu grande atenção à apresentação de Bell. Se encontrarmos alguém cantando uma música do Bono Vox numa estação de metrô, sabemos, de cara, que não é Bono Vox. Ele não se apresenta nesses locais. Nós estamos convictos de que é assim e de que assim sempre será. Mas, muitas vezes, nos enganamos.

A experiência com Joshua Bell revela um fator fundamental para a compreensão do sucesso. Observe que, ao cruzarem com Bell na estação, as pessoas tinham uma escolha a fazer. Elas poderiam parar para ouvir o músico ou, simplesmente, ignorá-lo. Aparentemente, essa escolha é muito simples e sem grande importância, porém, o mesmo processo que usamos para fazer essa escolha, ou seja, o processo guiado pelas nossas convicções, é o modo como fizemos a grande maioria das escolhas ao longo da vida. Logo, se as escolhas definem nossos resultados e se as convicções definem nossas escolhas, na verdade, somos o resultado de nossas convicções.

Por isso, nossas convicções têm uma importância extraordinária na nossa relação com o sucesso. Elas impedem que percebamos a realidade como ela é, e, por consequência, impedem que mudemos o curso de nossa vida. Por tudo isso, a influência que as convicções exercem em nossa vida é muito mais intensa e profunda do que poderíamos imaginar. Sua atuação se estende por todos os campos do conhecimento, até mesmo em áreas mais avançadas como a medicina e a ciência.

O NOBEL QUE NÃO TINHA JEITO DE CIENTISTA

Até 1980, os médicos tinham certeza de que a causa da úlcera gastrointestinal era estresse, consumo excessivo de alimentos picantes, cigarro, bebida alcoólica e, em certos casos, simplesmente herança genética. A cura era quase impossível, exceto com complicadas cirurgias que nem sempre causavam o efeito esperado. Pacientes com úlceras viviam atormentados. Os dois medicamentos mais usados no tratamento, o Tagamet e o Zantac, não curavam as feridas, apenas amenizavam seus sintomas. O tratamento era vitalício. As companhias que os fabricavam faturavam bilhões de dólares por ano. Aqueles que optavam pela cirurgia, que exigia a remoção de até um terço do estômago, na maioria das vezes sofriam sérias consequencias colaterais. Úlceras gastrointestinais eram um verdadeiro pesadelo na vida de uma em cada dez pessoas, no mundo todo.

Isso foi assim até o início da década de 80, quando dois médicos australianos, Barry Marshall e Robin Warren, fizeram um anúncio atordoante: nada do que se sabia sobre a origem das úlceras era verdade, disseram. Os dois estavam convencidos de que a origem das úlceras gastrointestinais não tinha nada a ver com fumo, pimenta, álcool ou estresse. Úlceras, segundo eles, eram causadas por uma bactéria: o *Helicobacter pylori*, ou *H. Pylori*.

Imagine o significado dessa descoberta. Se úlceras eram causadas por bactérias, sua cura, antes impossível, agora poderia ser obtida em questão de dias, com um simples tratamento a base de antibióticos. Isso representava um impacto positivo imediato na vida de milhões de pessoas, mas ao invés disso, por um estranho motivo, Marshall e Warren se tornaram chacota no meio científico. Por mais que os dois se esforçassem em apresentar provas de suas conclusões, ninguém acreditava neles. A descoberta foi simplesmente ignorada.

Marshall e Warren se mostravam indignados. Eles elaboraram um minucioso artigo para tentar chamar a atenção dos médicos e cientistas. No relatório, colocaram exemplos e esmiuçaram suas teses, indo muito além do necessário. Mesmo assim, os resultados continuavam sendo frustrantes. Até mesmo a imprensa especializada, que vive à procura de possibilidades que representem novas descobertas, se mostrou incrédula. O ceticismo era tanto, que nenhuma publicação ligada à medicina aceitou o artigo. Quando Marshall apresentou a tese numa conferência de medicina, os médicos simplesmente esvaziaram a sala.

Mesmo após curar pacientes com gastrite pela primeira vez na história, Marshall sentia que a rejeição a sua teoria bloqueava qualquer avanço. "As coisas iam muito mal. O extremo ceticismo dos meus colegas me fez crer que eu nunca receberia apoio para fazer qualquer teste com antibióticos para curar a doença", ele conta. Em 1984, no entanto, ele decidiu dar um jeito na situação.

Certa manhã, Marshall foi cedo ao laboratório. Deixou sua bandeja com a refeição intocada sobre a mesa, chamou um grupo de colegas e os levou até sua sala. Diante de uma pequena multidão incrédula e horrorizada, bebeu um copo com cerca de um bilhão de bactérias *H. Pylori*. Em seguida, apresentou o resultado de uma série de exames para os colegas. No dia anterior, ele havia feito uma endoscopia. Seu estômago e seus intestinos estavam sadios. Se sua teoria, de que úlceras são causadas por bactérias era verdadeira, então, com a ingestão da bactéria, em poucos dias ele deveria estar com úlcera.

Nos três dias seguintes, nada aconteceu. Após uma semana, porém, as reações começaram a aparecer. Seu estômago ardia. Sentia náusea e vômitos — sintomas clássicos da gastrite, estágio anterior à úlcera. No décimo dia, Marshall realizou uma nova endoscopia. A suspeita se confirmou. Seu estômago, antes sadio, agora estava infeccionado, enormes feridas vermelhas cobriam parte dele. Marshall estava com gastrite, havia sido infectado com o *H. Pylori*. Era o momento de comprovar a segunda etapa de sua descoberta: que o *H. Pylori* podia ser combatido com antibióticos, e foi exatamente o que ele fez. Após o tratamento, em poucos dias, seu estômago estava sadio outra vez.

Mesmo assim, a luta não estava no fim. Marshall havia cometido um erro. Acreditando que sua experiência já comprovava sua tese, ele curou a gastrite antes que uma úlcera se formasse. Mesmo sabendo que os sintomas que apresentava eram de úlcera, nada garantia aos céticos que o mesmo processo se aplicaria às úlceras em si. Mas a experiência de Marshall começou a quebrar o paradigma entre muitos médicos. Pouco a pouco, ele foi conseguindo aliados. Em 1994, dez anos depois, o *National Institute of Health*, finalmente endossou a ideia que os antibióticos eram o tratamento ideal para esse tipo de doença. No outono de 2005, Marshall e Warren receberam o Nobel de medicina pela descoberta.

Pense sobre o motivo pelo qual Marshall e Warren tiveram tanta dificuldade em convencer seus colegas sobre suas descobertas. Onde estava a capacidade de discernimento do meio científico? Pelo menos aí se espera que os profissionais pensem de maneira extremamente racional. Mas o que a experiência de Marshall e Warren nos mostra é que eles possuem a mesma inabilidade de articular um ponto de vista novo, como qualquer um de nós. Cientistas, normalmente, estão à procura de ideias novas, e por isso, deveriam ser suscetíveis a elas, mas a história que vimos revela exatamente o contrário.

Observe que os médicos e cientistas que analisaram as hipóteses de Marshall eram capazes de enumerar, de forma precisa, os motivos pelos quais elas estavam erradas. Mas não eram capazes de perceber que estavam agindo de acordo com um sistema de padrões que os amarrava ao conhecimento anterior. O que isso nos ensina? A resposta torna-se óbvia quando pensamos um pouco a respeito. O problema não é a úlcera em si, mas as convicções que se tinha sobre elas. Quando Warren e Marshall descobriram o *H. Pylori*, médicos e cientistas não estavam procurando uma causa para úlceras. Eles já sabiam o que as causava. Esse território já havia sido tomado pela convicção de que cigarro, álcool, pimenta e estresse eram a causa desse mal.

Assim como os transeuntes da estação de metro de Washington tinham suas convicções que os levaram a ignorar Joshua Bell, os médicos e cientistas também tinham suas convicções, que os levaram a ignorar por anos as descobertas de Warren e Marshal. A primeira partia do princípio de que o ácido estomacal é uma coisa potente. Ele pode deteriorar um pedaço de carne e tem força suficiente para dissolver um plástico. Era impossível pensar que uma simples bactéria poderia sobreviver nas paredes do estômago. A segunda convicção diz respeito ao local de origem da descoberta. Warren era um patologista no hospital de Perth; na Austrália. Marshall estava fazendo residência no hospital. Ele tinha apenas 30 anos. Sabemos, através da experiência, que descobertas são feitas por cientistas célebres, com laboratórios em universidades renomadas. Residentes não fazem descobertas que curam doenças que há séculos vem afetando mais de 10% da população.

No mundo cientifico, o local de onde o cientista é, onde ele estudou, quantos anos ele tem, é muito importante. Assim como Joshua Bell foi ignorado porque se apresentou no saguão de uma estação de metrô, as descobertas de Marshall e Warren foram ignoradas porque eles vieram de um local desconhecido para o mundo científico. Cientistas e a imprensa especializada olharam para o currículo dos dois, e, com base em suas convicções, pensaram: isso não faz sentido, não é assim que as coisas funcionam, esse processo precisa ser mais complicado do que algo ao alcance de um residente em medicina. Se fosse simples assim, alguém antes o teria descoberto. Um pesquisador, por exemplo, ao ouvir a explicação de Marshall disse que ele nem mesmo tinha jeito de cientista. De onde vem uma conclusão como essa? Da nossa convicção de que um cientista precisa ter um jeito, um modelo.

OS MECANISMOS DE REFERÊNCIA

Para entender como as nossas convicções interferem nas nossas escolhas, precisamos voltar ao capítulo anterior, onde afirmei que o cérebro constrói pontes que usa como atalhos para tomar decisões rápidas. Vamos relembrar o que isso significa? Quando nos deparamos com determinados problemas e perigos, o cérebro reage de maneira inconsciente a padrões mentais pré-estabelecidos, que ele usa como mecanismos de referência para tomar decisões imediatas. Por serem inconscientes, acreditamos que são resultado dos nossos instintos. Mas eles não são.

Suponha, por exemplo, que você estivesse percorrendo uma trilha ecológica no Pantanal. De repente você vê uma onça. Ela está a poucos metros de você. O que você faria? Com certeza, não pararia para raciocinar, e só depois de avaliar todas as opções possíveis, tomar uma decisão sobre o que fazer. Sua reação seria instantânea e automática. Nesse caso, não decidimos que emoção sentir. O medo não é uma escolha. Ele se manifesta em nós por conta própria. Por que isso ocorre? Quem toma essa decisão em nós?

Suponha que uma criança de dois anos visse uma onça no quintal. Qual seria a reação dessa criança? Despossuída do conhecimento de que o animal representa uma ameaça, possivelmente a ignoraria. Se essa criança tivesse alguma familiaridade com gatos, possivelmente iria ao encontro da onça. Esse exemplo simples anula a teoria de que nascemos com instintos de defesa, como o medo. A verdade é que não nascemos com um *chip* de autodefesa instalado no cérebro. Pelo contrário, vamos criando nosso instinto de autodefesa ao longo dos anos. A partir de crenças e convenções assimiladas da nossa experiência pessoal, elaboramos um sistema de conceitos preestabelecidos, que servirão de caminho para nossas reações. Esses sistemas, formados pelas nossas convicções, são aceitos, na maior parte das vezes, de maneira inconsciente e inquestionável, e por isso, permanecem enraizadas em nós, muitas vezes por uma vida inteira. E o que é mais intrigante: elas se tornam os pontos de referência que o cérebro usa como atalhos para tomar decisões rápidas.

Acessando nossas convicções, o cérebro processa um oceano de informações de maneira instantânea, sem ser percebido pela mente consciente. Quando as pessoas depararam com Joshua Bell na estação de metrô, por exemplo, o cérebro não fez nenhum questionamento consciente. Ele apenas acessou, de forma inconsciente, as convicções existentes, e tomou uma decisão. Nesse caso, a convicção é que pessoas que se apresentam em estações de metrôs não são extraordinárias e não merecem atenção maior.

Esse mecanismo cerebral é muito eficiente. Ele também é fundamental para nossa sobrevivência. Imagine que, ao se defrontar com uma onça, tivéssemos de avaliar todas as opções possíveis para depois realizar uma escolha. Nossa espécie simplesmente não teria sobrevivido. Se todas as nossas decisões fossem tão lentas quanto as que tomamos usando a consciência racional, não conseguiríamos nem mesmo levantar da cama pela manhã. O problema é que uma vez que as convicções estão formadas é muito difícil agir sem sua influência.

OS BENEFÍCIOS DA INTROSPECÇÃO

Suponha que você vá até um caixa eletrônico passar um cartão magnético, e, por algum tipo de mágica, ao invés de um extrato com suas movimentações financeiras, obtivesse um extrato contendo todas as suas convicções, suas crenças sobre dinheiro, sucesso, felicidade, valores, potencial, capacidade de relacionamento e assim por diante. Agora, seja honesto com você mesmo: o que constaria desse extrato? Juntando todas as convicções que apareceriam nele, que imagem formariam? Uma pessoa otimista ou pessimista? Um vencedor ou um perdedor? Em que tipo de inteligência você acredita: na fixa ou na maleável? Que imagem você tem de si mesmo?

Seja a imagem que for, o que você precisa saber é que, em termos gerais, é ela quem controla suas ações e, consequentemente, seus resultados. Em outras palavras, é essa imagem quem diz o que você pode ou não fazer, o que será difícil, fácil ou impossível. Todas as suas ações, sentimentos e comportamentos serão consistentes com essa imagem. Você não conseguirá escapar dela, independentemente do seu esforço e da sua vontade. A única forma de mudar os resultados em sua vida será mudando essa imagem, e você só mudará a imagem se mudar suas convicções. Antes de qualquer mudança nos resultados, você precisa mudar suas convicções.

Pense sobre o conteúdo do extrato de Gisele Bündchen. Aos 14 anos, ela tinha uma meta definida: queria se tornar "a top model número 1 do mundo". Essa escolha foi feita de uma maneira pensada, após longas horas de avaliação consciente. Ela tinha talento e paixão. Sabemos que isso é um bom começo. Mas na prática, as coisas mudam. Entre o ponto de partida e o de chegada, há um caminho longo, tortuoso e cheio de armadilhas. A cada hora, é preciso tomar uma série de decisões complicadas, sutis e rápidas. Ao longo da carreira de Gisele, principalmente no seu início, a imagem dela foi posta em xeque inúmeras vezes. Suas convicções foram confrontadas com as dos outros. Ela, particularmente, queria ser a top model número 1 do mundo, e as outras pessoas, das quais, em parte, ela dependia, diziam que ela nunca conseguiria fazer uma capa de revista. O mesmo se repetiu com outras pessoas que analisamos até aqui. Stallone, Einstein, Elisabeth Gilbert, todos passaram por esse confronto. Sem um padrão de convicções sólidas e positivas, para todos eles, certamente, o fracasso teria sido inevitável.

Cada um carrega dentro de si uma imagem de si próprio, uma série de concepções e convicções sobre si mesmo. Assim como os outros são objetos para nós, também nós somos um objeto para nós mesmos. Esse objeto, que representamos para nós mesmos (a imagem que temos de nós), é que, em última análise, realmente importa. Às vezes, ela é uma imagem vaga, mal definida demais para ser percebida com a mente. Muitas vezes, não é possível reconhecê-la de forma alguma. Mas ela está aí, desenvolvida até o último detalhe. Essa auto-imagem é a nossa própria concepção do tipo de pessoa que somos. Ela tem sido criada a partir de tudo que pensamos e percebemos sobre nós mesmos. Grande parte dessas crenças forma-se de maneira inconsciente, como resultado das nossas experiências passadas, dos nossos sucessos e fracassos, das humilhações, dos triunfos e da forma como as outras pessoas reagiram a nós, especialmente durante a infância. De tudo isso, construímos nosso próprio eu, a imagem mental, a convicção que temos sobre nós mesmos.

Uma vez que uma ideia ou uma crença sobre nós passa a integrar essa imagem, ela se torna uma verdade, uma convicção. A partir desse momento, não questionamos mais sua validade. Ela se torna uma verdade inconsciente. Sem perceber sua existência, passamos a agir e fazer escolhas a partir dela. Quando os cientistas ridicularizam as proposições de Marshall, ou quando os transeuntes da estação de metrô de Washington ignoram Joshua Bell, eles reagem conforme essas convicções. A convicção enraizada no subconsciente é tão forte, que todas as suspeitas e evidências de Marshall, por mais evidentes e promissoras, não significam nada. Eles simplesmente as ignoram. Da mesma forma, reagimos diariamente a situações que nos são apresentadas. Em todas as situações, se nossas ideias e convicções são distorcidas ou irreais, nossa reação será inapropriada. E note: se as convicções que temos sobre nós mesmos são inapropriadas, não importa o esforço, a disciplina e outras virtudes, nossos resultados nunca irão além dessas convicções.

Durante anos, senão por uma vida inteira, carregamos tudo o que é subdesenvolvido, rejeitado, suprimido ou encarado como vergonhoso em nossa personalidade, sem mesmo sabê-lo. Possuímos tendências, traços e fraquezas claras, mas que negamos e rotulamos como "esse não sou eu", porque eram inaceitáveis para nossos pais, outras pessoas, ou para nós mesmos. E todas essas convicções impõem um limite sobre nós. Se quisermos romper esse limite, temos primeiro de destruir essas convicções.

Não quero dizer que a vida não apresenta obstáculos reais. Desenvolver o talento exige investimento, e nunca há dinheiro o bastante, nunca há tempo suficiente, e a toda hora somos desafiados por uma série de obstáculos. Tenho consciência de todas essas restrições. Eu, pessoalmente, as enfrento todo dia. O que digo é que esses obstáculos não nos diferenciam das pessoas que alcançam o sucesso. Elas enfrentam essas mesmas restrições. O que nos diferencia é a maneira como lidamos com essas restrições.

Tomar consciência sobre como o processo de construção das nossas escolhas se desenvolve em nós é fundamental. Ao lançar um olhar crítico sobre nossas crenças, passamos a questioná-las. Esses questionamentos abrirão pequenas brechas na nossa estrutura psicológica. A partir de então, é mais fácil perceber que essas restrições são equívocos resultantes de conceitos e mitos que assimilamos ao longo da vida e que admitimos como verdades reais. Somente a partir dessa compreensão começaremos a ver um modo de superá-los, e a partir de então a mudança se tornará possível.

Imagine a pessoa que tem a convicção de que nasceu para ser pobre. Se você, por exemplo, explicasse para essa pessoa que ela é pobre porque ela possui a convicção de que nasceu para ser pobre, mas que isso não é verdade, ela se tornaria intolerante e agressiva com você e lhe contaria tudo quanto já tentou e não deu certo. Mas essa é tão somente a convicção dela. E suas ações sempre serão de acordo com essas convicções. Essa pessoa tem, perfeitamente, a noção do esforço e do insucesso, e essa noção passou a controlar a vida dela. Nada do que você falar removerá as convicções que ela possui. Ela tem, ou criou, evidências demais a seu favor. E é justamente por causa dessa série de evidências, que dificilmente percebemos que o problema está nas nossas convicções, ou nas concepções que temos sobre nós mesmos. O que muitas vezes não sabemos é que nós mesmos criamos essas evidências por meio das nossas convicções.

O controle da autoimagem sobre nossas ações e resultados é absoluto e persuasivo. Ela é a base, o fundamento sobre o qual nossa personalidade, comportamento, e mesmo nossas circunstâncias são construídas. Como resultado, nossas experiências parecem confirmar e fortalecer nossa autoimagem, formando um ciclo negativo ou positivo. Por isso, uma pessoa com sucesso tende a ter cada vez mais sucesso, e uma pessoa de fracasso tende cada vez a fracassar mais, a não ser que ela rompa o ciclo. Uma pessoa que acredita que nunca conseguirá atingir nada na vida, porque, segundo ela, nasceu para o sofrimento, inevitavelmente terá essa convicção confirmada. Suas experiências parecem provar que aquilo que ela pensa está certo. Precisamos romper esse ciclo, mudando nossas convicções. Se alterado, esse padrão de crenças nos dará uma liberdade maior de desenvolver nosso potencial criativo e produzir os resultados esperados.

Em síntese, nossas convicções são cruciais. Perceber que nossas ações, emoções e comportamentos são o resultado das nossas imagens mentais, das convicções que trazemos com nosso legado cultural, abre uma porta poderosa para a mudança. Transformar a imagem que trazemos sobre nós, decodificar e abrir nosso sistema de crenças e reprogramá-lo de acordo com nossos propósitos, nos oferece uma oportunidade real e rápida para a mudança.

1. Qual o padrão que está dirigindo você inconscientemente?
2. Esse padrão é o do sucesso ou da mediocridade?

Por mais que você deseje o sucesso e lute para alcançá-lo, se suas convicções lhe dizem o contrário, acabará confirmando essa crença e criando a realidade que existe no seu subconsciente.

O DESAFIO DA PEPSI: QUANDO O GOSTO NÃO CONTA

Na década de 70, a Pepsi realizou uma ampla campanha publicitária que ficou conhecida no mundo inteiro como O Desafio da Pepsi. A campanha, na verdade, consistia num teste sobre o gosto popular em refrigerantes. Representantes da companhia se dirigiam a diversos locais públicos como praças, shoppings e mercados. Ali, armavam uma mesa e convidavam as pessoas a experimentar dois tipos de refrigerantes. Num copo continha Pepsi e noutro, Coca-Cola. Às pessoas, porém, não era revelado o tipo de refrigerante que havia em cada copo. Elas simplesmente eram convidadas a experimentar os dois refrigerantes e selecionar o melhor. Na absoluta maioria das vezes, a Pepsi era a escolhida. Surpresa e muito satisfeita, a empresa investiu uma fortuna para divulgar os resultados da sua pesquisa, provando a preferência do público. Mas mesmo assim, a Pepsi nunca conseguiu superar a Coca-Cola em vendas. Isso gerou uma pergunta intrigante: por que a preferência no gosto nunca se refletiu no consumo do produto? Com o passar do tempo, o enigma cresceu cada vez mais. Ninguém conseguia explicar de forma convincente por que o consumidor, apesar de preferir o sabor da Pepsi, continuava comprando Coca-Cola.

Em 2004, um grupo de neurocientistas do *Baylor College of Medicine* do Texas decidiu esclarecer o enigma. Eles se propuseram a descobrir o que acontecia no cérebro das pessoas quando elas eram expostas ao Desafio da Pepsi. O grupo acreditava que, com o auxilio de uma máquina de ressonância magnética funcional por imagem, o fMRI, eles conseguiriam desvendar o enigma. O fMRI é um scanner cerebral altamente sofisticado que mede e mostra a concentração sanguínea no cérebro em um determinado momento. Por meio dessa demonstração, é possível ver qual parte do cérebro está sendo ativada e com que intensidade isso ocorre. Utilizando-se desse equipamento, os pesquisadores monitoraram as atividades do cérebro de 67 pessoas enquanto elas bebiam as duas marcas de refrigerantes.

Para viabilizar a experiência, uma vez que a pessoa não pode movimentar a cabeça enquanto sua atividade cerebral está sendo escaneada, os cientistas utilizaram enormes seringas de plástico através das quais o refrigerante era injetado na boca dos participantes. Monitores visuais foram dispostos de maneira que eles pudessem receber informações quando isso tornava-se necessário. Na hora que os participantes experimentavam o refrigerante, os pesquisadores descobriram uma coisa impressionante: quando bebiam o refrigerante sem saber a marca, a Pepsi produzia uma resposta mais forte do que a Coca-Cola na região cerebral responsável por processar sentimentos de recompensa, como prazer e satisfação. No entanto, quando a equipe revelava a marca, a maioria disse que a Coca-Cola era melhor. Nesse caso, a atividade cerebral também se alterou. Agora, ao invés da região cerebral responsável por processar sentimentos de recompensa, como prazer e satisfação; estava sendo ativada a parte do cérebro que governa altos níveis de poder cognitivo, como a memória.

Esse resultado revelou um paradoxo. Na realidade, os participantes preferiam o sabor da Pepsi, mas sua relação com a marca Coca-Cola os influenciava a negar a preferência pelo sabor. Quando as pessoas não sabiam a marca do refrigerante que estavam bebendo, eram obrigadas a tomar uma decisão racional. Elas tinham de pensar para poder escolher. Não havia nenhuma convicção formada sobre as bebidas. Nessas circunstâncias, elas optavam pela Pepsi. Quando elas foram informadas da marca, o mecanismo cerebral passou a agir por conta própria. Suas convicções entraram em ação. Era quando elas optavam pela Coca-Cola. Eles já sabiam, através da convicção, que a Coca-Cola era a melhor. Nessas circunstâncias a escolha era tomada de forma automática.

É difícil pensar sobre esse estudo e não se dar conta do lado perverso desse mecanismo cerebral. Ele confirma tudo o que eu disse até aqui. Muitas vezes, somos iludidos em nossas ações por fatores alheios a nossa vontade. Mesmo conscientes do erro, acabamos repetindo-o constantemente, sem saber a razão. Tornamo-nos vítimas de convicções esquecidas, mas que permanecem ativas e se manifestam em nossas atividades. Assim como nos dois exemplos que utilizei no início — o de Joshua Bell e o de Marshall e Warren —, a maior parte do tempo funcionamos no piloto automático, sem ter consciência do que realmente define nossas ações. Isso nos desperta para uma questão crucial: se nossas convicções não estão alinhadas com o nosso propósito, mesmo que tenhamos todo potencial, conhecimento e qualificação do mundo, essas convicções irão bloquear nosso sucesso. Assim como as pessoas, por uma razão, preferiam a Pepsi, e, por outra, escolhiam a Coca-Cola, mesmo que desejemos o sucesso, se tivermos as convicções erradas, iremos optar, inconscientemente, pelo fracasso.

O LEGADO CULTURAL

Em 1859, Charles Darwin publicou o livro *A origem das espécies*, onde trata da Teoria da Evolução. Darwin não foi o primeiro a afirmar que as espécies vivas evoluem ao longo do tempo. Herbert Spencer expressou a ideia muito tempo antes num ensaio sobre "a hipótese do desenvolvimento". Darwin, porém, foi o primeiro a propor uma teoria explicando por que isso acontece. A teoria darwinista não era uma mera ideia vaga sobre a evolução, criada a partir do conceito de que espécies superiores se desenvolvem de certa forma de espécies inferiores. *A origem das espécies* era uma teoria rica, detalhada e bem documentada do modo atual e processo de evolução por meio da seleção natural, ou a preservação de espécies privilegiadas na luta pela sobrevivência. Em uma década, o mundo inteiro estava falando dessa teoria. Ela foi o que se chama em ciência de quebra de paradigma. Ou, para o propósito de nosso livro, uma mudança de convicção. Desde sua publicação, o mundo acadêmico criou um consenso em torno do argumento de que a criação divina, conforme descrita na Bíblia, não faz sentido. Um século e meio depois, pesquisas e estudos científicos tornaram as evidências sobre a veracidade da Teoria Darwinista praticamente inquestionável. Nossa convicção, portanto, deveria ter mudado. Mas não foi isso o que aconteceu.

Uma pesquisa realizada pelo Instituto Gallup, em 2004, nos Estados Unidos, mostrou que uma minoria absoluta, apenas 13%, crê na teoria de que o homem evoluiu de uma espécie inferior, sem que Deus tenha interferido no processo. Quase a metade da população americana, apesar de todas as evidências favoráveis à Teoria Darwinista, ainda acredita que o homem não evoluiu, e sim que foi criado por Deus, como consta do

Gênesis. E 35% acreditam que o homem evoluiu ao longo do tempo, mas com a interferência da vontade de Deus.

Existe, porém, um dado ainda mais intrigante revelado pela pesquisa. Apesar de 45% acreditar que os seres humanos foram criados conforme o Gênesis; somente 34% creem que a Bíblia é a palavra de Deus e, por isso, deve ser interpretada ao pé da letra. Quer dizer, não acreditamos que a Bíblia é a palavra de Deus. Mas quando se refere ao fato da criação, preferimos acreditar nela, apesar das evidências científicas comprovarem que isso é muito improvável. Visto de qualquer ângulo, isso parece não fazer muito sentido.

Como essa contradição se explica? A resposta pode ser mais simples do que parece. Pense sobre qual é a primeira concepção sobre a origem do ser humano que nos é ensinada? A bíblica. Certo? Somente anos depois, no colégio, aprendemos o conceito da evolução. Porém, apesar de todas as suas evidências, não conseguimos nos desfazer da convicção que herdamos da infância. Com o passar do tempo, até entendemos e aceitamos que a Bíblia não é a palavra de Deus, mas não conseguimos nos libertar do que ela nos diz. Esse paradoxo nos dá uma ideia clara do quanto nossas convicções perduram ao longo do tempo e influenciam nossas decisões.

MUDANDO O MECANISMO

Essa é uma das razões pela qual é tão difícil mudar hábitos, personalidade ou a forma de vida. Nosso esforço é voltado para corrigir os efeitos, mas ignoramos as causas desses efeitos. Na maioria das vezes tentamos aplicar uma atitude positiva em circunstâncias externas. Instruídos a pensar de forma positiva, ficamos repetindo mentalmente o que queremos. Mas não pensamos em mudar as convicções que causam essa atitude. Se mudássemos nossas convicções, as consequências desapareceriam. Lemos dezenas de livros sobre pensamento positivo. Tentamos, a todo custo, desenvolver entusiasmo pelo trabalho, pela vida. Esforçamo-nos para melhorar nossa autoestima. Mas depois de pouco tempo, tudo volta ao estágio anterior. Sempre retornamos aos trilhos anteriores. A decepção, o sentimento de impotência, a autocondenação nos coloca de volta ao velho ciclo. Aos poucos nos convencemos de que esse é o nosso lugar. Ali, apesar de infelizes, nos sentimos confortáveis. A vida parece, pelo menos, escorrer de forma natural. E deveria ser diferente? É claro que não. Porque essas são nossas convicções. É sobre elas que nossa vida está estruturada.

O problema não é que sejamos incapazes. Ou que nos falte inteligência, vontade ou esforço para mudar. O problema está nas nossas convicções inadequadas, ideias ou conceitos que são incoerentes com as nossas convicções ou conceitos que já possuímos, tendem a ser rejeitadas, tidas como falsas e deixadas de lado. As que parecem coerentes com o sistema são aceitas e tendem a reforçar cada vez mais. Como nossas ações sempre serão coerentes com nossas convicções, criamos um ciclo. O problema está no fato de não sabermos da existência desses padrões e deixá-los agir de forma inconsciente.

Conduzidos pelo piloto automático das nossas convicções acreditamos que é assim e essa crença se concretizará. Alimentamos nossas ações com justificativas e argumentos que têm como base as nossas convicções e elas, cada vez, se tornam ainda mais fortes. Mesmo que sua vida siga os passos abordados neste livro, se você tiver uma programação feita a partir de convicções inadequadas; seus resultados serão proporcionais as suas convicções, ou seja, inadequadas. A mudança nos efeitos só é possível com a alteração da causa que promove esses efeitos. Precisamos criar os padrões corretos, permitindo que as soluções feitas de maneira rápida pelo cérebro sejam as adequadas.

Para reverter esses processos, a primeira coisa que precisamos saber é que nossas convicções são criadas e que podemos destruí-las e substituí-las por outras. Elas só representam uma ameaça se não tivermos consciência de que nossas decisões são resultado de nossas convicções e não as monitorarmos. Precisamos duvidar da nossa verdade e admitir o erro. Toda expansão começa com uma mudança em nossas convicções. Elas determinam nossas expectativas, e estas determinam nossas ações. Enquanto não colocarmos em xeque nossas convicções, enquanto não observarmos as lentes com as quais vemos o mundo, corremos o risco de nos iludir com uma falsa verdade.

Até esse ponto, vimos que nossas decisões e escolhas são resultado, na maioria das vezes, de decisões feitas de forma simplificada, seguindo padrões mentais formados por nossas convicções para encurtar o caminho. Esses padrões mentais são nossas convicções. Se tivermos convicções equivocadas, nossas escolhas também serão equivocadas. As mensagens trazidas até nós do ambiente externo consistem em impulsos nervosos de vários órgãos sensoriais. Esses impulsos são decifrados, interpretados e avaliados pelo cérebro em frações de segundos e trazidos ao nosso conhecimento em forma de ideias, emoções ou imagens mentais. Nós reagimos de acordo com essas imagens mentais. Em outras palavras, não sentimos e agimos de acordo com o que as coisas são, mas de acordo com a imagem que nossa mente retém delas.

Considere, por exemplo, o homem que vemos cruzar a rua, a criança que assistimos brincar no quintal, nosso irmão que ouvimos cantar no chuveiro, todos eles são objetos para nós. Mas esses objetos pertencem apenas a nós. Eles não dizem respeito ao que os outros pensam. Eles são apenas nossos, por isso não são a verdade, apenas são a nossa verdade. As convicções surgem a partir da objetificação que fizemos das coisas e circunstâncias que nos cercam. O problema ocorre quando aceitamos essas objetificações como verdades absolutas, inquestionáveis.

O segundo ponto, fundamental a essa altura, é ter em mente que nossas ações, muitas vezes, são o resultado de escolhas feitas de maneira inconsciente. Reconhecer esse fator é de extrema importância. Precisamos perceber que o cérebro, responsável pelas decisões automáticas, é também quem constrói as convicções que ele usa para tomar essas convicções. A reação de medo ao encontrar a onça, por exemplo, não foi uma reação do instinto, mas do conhecimento assimilado pelo cérebro em experiências similares vividas ao longo do tempo. Foi um conjunto de informação, de ideias recebidas do mundo externo, que foram avaliadas, comparadas e aceitas como verdadeiras, que desperta em nós a reação instintiva das circunstâncias. Esse tipo de raciocínio, feito de maneira inconsciente, baseado em convicções erradas, é o que desvia nossas decisões daquilo que queremos, sem que saibamos disso. Há uma tendência automática de avaliar e julgar as circunstâncias seguindo padrões como esses. Entretanto, é a experiência, ideia ou convicção, programada em algum momento da nossa vida, que dispara o que chamamos de reação instintiva. Quando você foge da onça, reage ao que você pensa, acredita ou imagina. Se você conseguir mudar o que pensa, acredita e imagina, pode mudar sua reação.

Foi reagindo a esse mesmo sistema, formado pelas convicções, que os especialistas em moda afirmaram que Gisele não tinha jeito de modelo. Que seu nariz era muito grande para a fotografia. Mas foi também reagindo a esse mesmo padrão que Gisele ignorou o lado negativo desses comentários, acreditando em suas próprias convicções, de que ela tinha o que era necessário para desenvolver seu potencial, que ela seguiu adiante.

CAPÍTULO 8

Foco, tempo e o problema do sentido

A importância de manter o foco no gerenciamento de suas energias e não do seu tempo?

EM AGOSTO DE 1983, EIJI TOYODA, O PRESI-dente da Toyota, reuniu-se com os principais diretores, estrategistas e engenheiros da empresa. A certa altura da reunião, ele fez uma pergunta intrigante: "Nós temos capacidade de fabricar um automóvel de luxo com condições de ocupar o posto de melhor do mundo?" Por um momento, houve um silêncio na sala. Na época, a Toyota já era reconhecida pela qualidade dos seus veículos no mundo inteiro. Mas apenas pela linha popular. Ela não tinha nenhum modelo, principalmente nos mercados americano e europeu, que competisse com clientes mais sofisticados. Esse era um nicho que pertencia a Mercedes Benz, BMW, Lincoln, Audi e a linha Infinity, da Nissan. Mas a partir daquela reunião esse quadro iria se alterar. A resposta da equipe, como seria de se imaginar, foi positiva. A Toyota estava decidida a buscar seu espaço no segmento de veículos de luxo. Estava nascendo um novo modelo: o Lexus.

Para desenvolver o automóvel que disputaria o trono de melhor do mundo na categoria luxo, a companhia escalou mil e quatrocentos engenheiros, dois mil e trezentos técnicos de produção e centenas de membros que integravam o grupo de apoio. Uma equipe de engenheiros e supervisores saiu do Japão e foi para os Estados Unidos com o propósito de pesquisar as necessidades e os hábitos dos americanos. Outro estudo traduziu em minúcia os estilos de vida da classe alta americana e européia. Tudo para adequar o novo veículo ao sonho dos futuros consumidores. Para evitar especulações, o projeto foi desenvolvido em sigilo máximo. Apenas os integrantes sabiam sobre os detalhes do novo modelo, ao qual se referiam apenas como Projeto F1. Ao longo de cinco anos, entre 1983 a 1988, foram criados 450 protótipos, com um custo de US$ 1 bilhão. Para garantir a perfeição do veículo, ao longo de quinze meses, a equipe testou os modelos tanto nas *freeways* americanas como nas *autobahns* alemãs. Um ano depois, o design final do F1 foi aprovado. Em maio de 1988, o primeiro Lexus, o modelo Ls-400, saiu da linha de produção da fábrica de Tahara, no Japão.

Menos de um ano depois, em setembro de 1989, o Ls-400 estava sendo comercializado em praticamente todas as revendas da Toyota nos Estados Unidos. O lançamento foi realizado com o suporte de uma multimilionária campanha de marketing que o destacava como sinônimo de perfeição. E aparentemente, era essa a impressão que ele causava. O Ls-400 era silencioso e sofisticado como nenhum outro. Tinha segurança e desempenho, e foi o primeiro a apresentar adequações ao sistema de emissão de gases, reduzindo a poluição que provocava no meio ambiente. Tudo isso causou um impacto imediato e aparentemente irreversível entre os consumidores. Uma aura de prestígio e paixão logo envolveu o veículo.

Mas, como a primeira impressão nem sempre é a que fica, as coisas pareciam mudar alguns meses depois. No início de 1990, a companhia começou a receber reclamações sobre o veículo. Consumidores perceberam problemas no controle do piloto automático e nas luzes do freio. Logo, a Toyota teve de reconhecer que esses problemas eram defeitos de fabricação. A companhia estava diante de um dilema que poderia se tornar um tremendo retrocesso na evolução da nova marca. Depois de toda euforia, era hora de encarar uma das coisas mais desagradáveis no setor automobilístico: o *recall*.

Vista de qualquer aspecto, a situação da Toyota era embaraçosa. Eiji Toyoda havia anunciado que a companhia fabricaria o melhor carro de luxo do mundo. Campanhas publicitárias reforçaram essa ideia milhares de vezes. Agora, com pouco menos de um ano após o badalado lançamento do Ls-400, a empresa era forçada a admitir erros de fabricação, justo no que havia sido anunciado como um símbolo da perfeição.

A MÁGICA SOLUÇÃO PARA O LEXUS

Se você fosse um dos encarregados para encontrar uma solução para o problema, o que você faria? Como você resolveria essa situação? Existem vários pontos para onde você pode direcionar o foco. Um deles poderia ser na conclusão de que se Eiji Toyoda não tivesse sido tão prepotente, tão sonhador, ele não estaria nessa situação. A Toyota é uma marca reconhecida mundialmente pela durabilidade de seus modelos populares. Essa é sua especialidade. Por que não se contentar com isso? Por outro lado, se os engenheiros e técnicos encarregados pelo *design* e pela fabricação do Lexus tivessem agido com mais cuidado, esse problema também não se teria criado. Enfim, poderíamos delimitar uma série de análises e avaliações, todas apontando para a busca de culpados. Isso resolveria o problema? Certamente não. Por outro lado, você poderia se focar no futuro, tentar prever as consequências negativas, monitorar as críticas de artigos especializados, a chacota dos concorrentes, a insatisfação dos clientes. Isso resolveria o problema? Certamente também não, essa análise apenas criaria angústia, insegurança, medo e desânimo. O que você faria?

Problemas geralmente surgem na nossa vida quando assumimos compromissos, quando definimos metas e objetivos. Aliás, o único motivo que nos leva a estabelecer uma meta, um compromisso, é porque existem obstáculos, situações que dificultam o caminho entre o ponto em que estamos e onde queremos chegar. Os problemas são, assim, inevitáveis. Qualquer meta, qualquer objetivo já vem com os desafios acoplados. A situação do Lexus talvez lhe pareça um pouco fora de contexto, afinal, possui uma dimensão desproporcional quando comparado aos problemas que a maioria de nós enfrenta na vida. Quanto maior a meta, maiores os desafios. Mas, apesar da sua desproporcionalidade, a situação do Lexus é um exemplo do dilema que a maioria de nós enfrenta cada vez que tropeçamos nos nossos próprios erros. Pense nas vezes que você prometeu alguma coisa e não conseguiu cumprir. Nas vezes que você assumiu um compromisso, empenhou sua palavra e acabou falhando. Nesses momentos, para onde você direciona seu foco? Qual a primeira coisa na qual você pensa diante de uma situação dessas? Você procura um culpado? Uma desculpa? O que você faz? Qual foi, em sua opinião, a decisão da Toyota? Para onde ela direcionou o foco?

No item anterior, disse que a proposta da Toyota era fabricar o melhor carro de luxo do mundo. Isso responde a nossa questão: a equipe que criou o Lexus manteve o foco no propósito. Com isso em mente, buscou uma maneira eficaz e eficiente de resolver a situação. Como? Imagine que você é um cliente que acaba de comprar um Ls-400, que atitude você espera de uma empresa que lhe vendou um carro de luxo proclamado o melhor do mundo? Geralmente, um *recall* é precedido de uma nota na imprensa especializada e de envio de uma notificação pessoal. A Toyota, porém, decidiu não depender da forma tradicional para resolver essa situação. Ela designou uma equipe especial para entrar em contato com seus clientes. No mesmo dia em que colocou os anúncios na imprensa, a empresa telefonou para cada um dos oito mil clientes que haviam comprado um Ls 400. Ela comunicou os pessoalmente sobre as falhas e ofereceu alternativas para solucionar o problema. Numa operação que não durou mais que 20 dias, foram reparados todos os veículos que haviam sido vendidos até então. Na maioria dos casos, a empresa enviou empregados até a casa dos clientes para apanhar o veículo e, após fazer o reparo, antes de retorná-lo, efetuou uma lavagem completa no veículo e o abasteceu. Em alguns casos especiais, onde o cliente residia a mais de 60 km de uma concessionária, a empresa enviou um técnico até a residência do proprietário, e o conserto foi efetuado em domicílio.

Mantendo o foco no seu propósito, a Toyota encontrou uma alternativa de transformar uma situação embaraçosa numa vantagem. Ela transformou o *recall*, indesejado e mal visto pelos clientes, numa forma de captar a audiência de maneira extremamente positiva. Quando você compra uma novidade, como o Lexus era em 1990, há uma tendência natural de que você se torne uma espécie de laboratório. As pessoas mantêm um olho especial no seu veículo para ver como essa relação se desenvolve. Você passa a ser o porta-voz da empresa, porque é a você que as pessoas irão se dirigir para questionamentos. Imagine o vizinho invejoso de um proprietário de Lexus. Ao saber do *recall*, ele certamente não deixaria de comentá-lo. E veja o resultado: o dono do Lexus, ao invés de criticar o *recall*, conta com euforia a eficiência e presteza da empresa no conserto dos defeitos. Ao dar um passo ao encontro dos seus clientes, a Toyota deu um motivo para que eles se orgulhassem dela e do negócio que haviam feito. Mantendo o foco correto, o Lexus cresceu, expandiu e adicionou ainda mais valor à marca por meio de uma situação que parecia altamente embaraçosa.

Isso só é possível por três motivos específicos. Todos estão correlacionados com o foco.

a) O primeiro motivo diz respeito ao foco em si. O Lexus foi criado para ser o melhor carro de luxo do mundo. Nada, nem mesmo o *recall*, foi encarado fora desse contexto.

b) O segundo motivo diz respeito ao foco em relação ao tempo. Embora a empresa tivesse um propósito futuro (construir o melhor carro de luxo do mundo), o foco estava na ação presente. Ela soube gerenciar sua energia, e não o tempo. É impossível agir onde você não está. Da mesma forma, não há como agir onde você esteve, e não há como agir onde estará. Você somente pode agir onde está.

   O desafio está em focar sua atenção no gerenciamento da sua energia de maneira mais efetiva. Em outras palavras, isso significa que quando você define um propósito, precisa ter em mente que não pode executar o propósito, apenas pode agir no sentido da sua execução. E é nesse sentido que você deve investir sua energia.

c) Desde o início, o Lexus foi criado com o propósito de ser muito além do que apenas um veículo de luxo. O sentido por trás do nascimento da marca era fabricar o melhor carro de luxo do mundo.

Esse sentido é o terceiro motivo. Quando você sabe o sentido pela qual alguma coisa existe, você saberá onde colocar o foco.

QUANDO O CÉREBRO IMPÕE O LIMITE

O ser humano possui uma medida limite de capacidade para compreender, avaliar e processar informações sobre um tema específico, num determinado momento. Quando alcançamos esse limite, nos tornamos sobrecarregados, confusos e oprimidos por essa informação. Se precisarmos escolher entre opções demais, sobre mais alternativas do que nossa mente consegue avaliar, paralisamos. Quando isso acontece, nossa tendência será a de ignorar essa informação por completo. O nosso cérebro, por exemplo, só consegue registrar, de maneira eficaz, dois a três aromas diferentes de uma só vez. Além desse número, o cérebro fica literalmente confuso. Se você comprar um perfume depois de ter cheirado mais de três modelos, certamente se surpreenderá com o aroma no dia seguinte quando o usar pela primeira vez.

Essa também é a explicação pela qual, na hora de fazer caridade, as pessoas se sensibilizam muito mais com fatos isolados, específicos, onde elas têm a oportunidade de identificar a pessoa que estão ajudando. As instituições de caridade, por exemplo, têm enormes dificuldades para arrecadar dinheiro quando se trata de ações coletivas, como alimentar milhares de crianças desnutridas em países do terceiro mundo. As pessoas não conseguem se comover com uma coisa tão ampla, porque ela supera sua capacidade de compreensão. Mas, na maioria das vezes, elas se fascinam por fatos específicos, onde as vítimas são identificadas.

Em 1987, por exemplo, uma menina chamada Baby Jéssica recebeu mais de US$ 700 mil em doações do público quando virou manchete por ter caído em um poço perto de sua casa, no Texas, Estados Unidos. Em outro caso, durante a guerra no Iraque, Ali Abbas, um menino ferido no conflito, cativou a mídia europeia e em poucas horas recebeu mais de 275 mil Euros em doações para custear seu tratamento médico. Em 2002, num outro episódio, ainda mais impressionante, foram arrecadados mais de US$ 48 mil para salvar um cão abandonado a bordo de um navio, à deriva no Oceano Pacífico, perto do Havaí.

A dificuldade de mobilização das pessoas para resolver problemas de grande dimensão, como a desnutrição nos países subdesenvolvidos, em contraste com o entusiasmo para casos isolados, como o de Baby Jessica, Ali Abbas e outros tantos, onde as vítimas são identificadas, é uma consequência do foco.

"EU FIZ UMA MASSAGEM"

Pense da ultima vez que você se sentiu altamente produtivo. Provavelmente, você sentia uma intensa sensação de que estava no controle, não sentiu estresse, esteve estritamente focado no que você estava fazendo; o tempo não contava, ele simplesmente sumiu, desapareceu da sua consciência. Quando percebeu, havia passado muito tempo. Você se sentiu útil, satisfeito, convicto de que fez um considerável progresso naquilo que estava fazendo. Agora pense quando você estava longe desse estado, se sentindo fora de controle, estressado, desfocado, enjoado, atolado. Onde estava seu pensamento? A mente nos lembra das coisas que precisamos fazer justamente quando não podemos fazê-las. Desde que você acordou pela manhã até agora, você pensou em alguma coisa que precisa fazer, mas não fez? Você pensou nisso mais de uma vez? Por quê? É uma perda de tempo e energia pensar numa coisa na qual não progredimos. Pensar numa coisa que você deveria estar fazendo e não está apenas intensifica sua ansiedade. Mantenha o foco no seu propósito, na visão do que você quer, mas aja em seu ambiente atual, com energia total.

Em 2006, Gisele Bündchen se apresentou ao lado do *pop star* Justin Timberlake. O evento aconteceu no *Victoria's Secret Fashion Show*. Enquanto Gisele desfilava, Timberlake a seguia. Ele cantava e dançava ao seu lado. A música geralmente dita o ritmo do desfile, e, desta vez, o som era muito mais dançante do que qualquer outra coisa. Mas Gisele seguiu o desfile de forma normal, ignorando o que se passava a sua volta. Na opinião dos críticos, a interação entre os dois foi um espetáculo. Dias depois, num programa da NBC, a apresentadora Ellen Degeneres perguntou à modelo: "Como foi o dia anterior ao desfile? Você ficou nervosa? Enfim, como você se prepara para um desfile?" Gisele olhou em torno, pensou, insinuou um gesto, riu e, sem saber exatamente o que dizer, revelou: "Eu fiz uma massagem, esse foi o meu preparo". No auditório, o público riu. Isso foi engraçado por um único motivo. A resposta de Gisele quebrou a expectativa da plateia. Todos esperavam outra resposta. Esperavam que Gisele lhes dissesse o quanto ela fica angustiada, perturbada, nervosa, dois, três ou quatro dias antes do desfile acontecer. Afinal, é assim que nós nos sentimos diante de um grande evento.

Essa história é interessante porque nos revela um segredo importante: o foco mental. Gisele não abriu espaço para enigmas mentais, não deu oportunidade para a complexa confusão que se forma em nossa cabeça quando deixamos nossos pensamentos correr soltos. Tudo o que ela fez foi descansar, confiante de que faria o melhor de si. Quando o desfile chegou, ela estava pronta para deixar seu talento fluir de forma natural. Para atingir o nível de eficácia necessária para alcançar o sucesso, precisamos aprender a gerenciar com o foco voltado para nossas prioridades e não no tempo. Afinal, você não consegue transformar cinco minutos em dez. A questão está no fato de fazer a escolha apropriada sobre o que fazer em cada momento. A verdadeira questão do foco está em saber gerenciar ações. Por isso é tão importante tudo o que falamos até aqui. É muito difícil focar sua energia no gerenciamento de ações que você ainda não identificou ou não determinou.

Valdir Bündchen, no seu livro *Como construir a si mesmo*, afirma que a preocupação com o resultado nos distrai durante a ação. "Quando deixamos nossos pensamentos voar para o futuro, saímos do nosso ponto de excelência e levamos a concentração conosco", ele escreve.

Para facilitar a compreensão, Valdir usa uma analogia. Ele cita o exemplo do que acontece no voleibol. "No jogo de vôlei, muitas vezes, um time leva uma vantagem ampla sobre o adversário. Quando falta apenas um ponto para acabar o jogo, o time que está perdendo reage de maneira impressionante, e muitas vezes vence a partida", ele escreve. Sabendo que não pode permitir que o adversário faça um único ponto sequer, o time que está em desvantagem se foca, de maneira isolada, em cada jogada. A meta de vencer o jogo é transferida para a de "não perder esse ponto!" A equipe cuida de cada lance como se fosse o único. "Em outras palavras, a jogada deixa de ser uma gota no balde, para se tornar 100% do conteúdo do balde", explica Valdir. A intenção do time ainda continua sendo a vitória, mas o foco não está mais na vitória, e, sim, no próximo lance, que é o que, no acúmulo, trará ou não a vitória. "O time deixa de pensar no futuro, no final da partida, que ainda está longe, e se concentra na situação presente", escreve.

Na verdade, o que Valdir nos ensina é que a equipe, ao deixar de focar no tempo, passa a se focar na energia. Ou seja: ao agir com a mente no futuro, nossa ação no presente será feita com uma mente dividida e por isso, perderá a eficácia. Sua energia deve estar totalmente na ação presente.

É interessante, nesse contexto, retomar o estudo feito pelo psicólogo Marco Antônio De Tommaso, citado no Capítulo 4. Você lembra que ele aponta a ansiedade, a dificuldade de adaptação, o medo de não dar certo e o despreparo do não como os principais problemas enfrentados no início da carreira de modelo. Concluímos que esses também são, em grande parte, os maiores desafios enfrentados em qualquer início de carreira. Se você observar esses quatro fatores irá perceber que todos eles são uma consequência da maneira como nos relacionamos com o foco. Em todas elas, você tenta gerenciar seu tempo, e não sua energia. Por exemplo: você está ansioso porque quer saber agora o que lhe acontecerá no futuro. Você tem dificuldade em se adaptar ao novo porque está focado no que você teve no passado. Você tem medo de não dar certo porque antecipa, de forma negativa, o futuro. Você tem dificuldade de lidar com o não, porque ele gera insegurança quanto ao futuro.

OS DOIS CONCEITOS DE TEMPO

Algum tempo atrás, quando se chegava ao escritório de Valdir Bündchen, na parede ao fundo, num enorme quadro branco, podia-se avistar o esboço de um projeto ocupando todo o quadro. Ele chamava esse esboço de Projeto 5. Era nessa sala onde ele se reunia regularmente com cada uma de suas filhas para discutir com elas e auxiliá-las na projeção do caminho de cada uma. Valdir tem como regra planejar a vida por cinco anos. Era essa mesma estratégia que ele ensinava para as filhas. "A vida deve ser planejada por ciclos", ele explica. "Cinco anos é um ciclo perfeito. Com menos tempo, você não terá condições de estruturar uma mudança significativa. Por mais tempo, você não consegue manter a visualização necessária".

Nesses encontros, além de auxiliar a projetar as ações de suas filhas para o futuro, também era feita uma análise detalhada dos anos anteriores. A intenção era aprender com os erros do passado tomando a ação apropriada para não repeti-los no futuro. "Mesmo nesse planejamento", ele diz, "onde se referir ao passado e ao futuro é inevitável, o instante presente permanece fator essencial. Cada lição do passado é assimilada no presente, e cada projeção do futuro, também. Mas o passado não se transforma em ressentimento, nem o futuro, em angústia. Falamos sobre o tempo, mas não há identificação com ele", explica.

Valdir compara esses exames com o ato de preparar uma mala para a viagem. "Você vê o que vai usar ao longo da viagem, separa o estritamente necessário e o leva consigo. O resto, você deixa para trás" ele explica. "Imagine como seria uma viagem se você tivesse de levar todas as suas roupas, todos os seus calçados? Seria cansativo demais," ele argumenta. "O mesmo acontece quando levamos conosco a bagagem psicológica do passado e do futuro", ele diz. "A vida se torna pesada demais. O uso do tempo cronológico é fundamental, mas temos de saber distingui-lo de forma clara do tempo psicológico".

O que Valdir quer dizer com tempo psicológico e tempo cronológico? Uma antiga parábola ilustra de maneira perfeita a diferença entre esses dois conceitos. A parábola diz que, certa vez, o prior-mor de um mosteiro enviou um monge veterano e um iniciante para a cidade a fim de levar um recado para o outro mosteiro. A viagem era longa e feita a pé. A certa altura, logo no início do caminho, os dois monges encontraram uma mulher que não conseguia cruzar um riacho. O monge mais novo, compadecendo-se da mulher, mesmo sabendo que as regras do monastério eram rígidas ao afirmar que um monge não pode tocar uma mulher, a tomou nos braços e a carregou até o outro lado do rio, soltou-a e seguiu seu caminho ao lado do colega.

Os dois caminharam por horas. O que antes era um diálogo animado e interessante passou ao silêncio. Quando chegaram ao destino, entregaram o recado e tomaram o caminho de volta. O monge mais novo percebeu que seu colega estava magoado, mas, respeitando seu sentimento, manteve-se em silêncio. No final da tarde, quando já avistavam o mosteiro, o monge mais velho, não se aguentando mais, voltou-se para o novato e perguntou: "Por que tu carregaste aquela mulher no colo? Por acaso, não sabes que isso é contra nossas regras?" O noviço se voltou, olhou o monge nos olhos e respondeu: "Eu larguei aquela mulher mais de dez horas atrás, na outra margem do rio. Tu ainda a continuas carregando em tua mente?"

Na maioria das vezes, agimos como o monge veterano. Focamos nossa energia, de forma equivocada, num constante remoer de uma ideia passada. O problema não está no tempo em si, mas na maneira como o focamos. Nossa relação com o tempo é equivocada, e os reflexos dessa relação são mais comuns e intensos do que possamos imaginar. Temos uma tendência de estabelecer uma meta e confundir a meta com felicidade. Nossa razão de viver passa a ser nossa meta, que está no futuro.

Toda dor psicológica, como raiva, estresse, ansiedade, angústia, depressão, é o resultado direto da resistência contra um fato, acontecimento ou circunstância que nos diz respeito. Toda essa carga de opressão está no passado ou no futuro. O que aconteceria se a Toyota agisse de uma maneira normal, como a maioria de nós age, para resolver o problema do Lexus? Imagine o que aconteceria se ela olhasse para trás, em busca de culpados, para ver quem deveria demitir; ou se olhasse para o futuro, com angústia e medo da reputação negativa que isso poderia lhe trazer? É nesse jogo com o tempo que perdemos completamente o foco sobre o sentido do problema em si, e passamos a lidar com eventos imaginários, que sequer aconteceram. Errar faz parte do jogo. Resistir ao erro é um erro maior que o próprio erro. Toda angústia, medo, ansiedade, estresse, preocupação, é resultado de nossa resistência ao erro. Quando você ajusta os conceitos do tempo, passa a viver a jornada, e não a esperança da realização futura. Essa é uma lição que precisamos aprender.

Onde você costuma colocar o foco da sua vida? Como você investe sua energia? Você deve usar seu pensamento para descobrir seus pontos fortes, estabelecer um propósito definido, como foi orientado neste livro. Mas não importa qual for o propósito que estabelecer, você deve agir agora. Você não pode fazer nada no passado, por isso, liberte-se dele. Você também não pode agir no futuro porque ele ainda não chegou e nunca chegará. Você Nem mesmo pode saber como agirá no futuro, porque não conhece as contingências que o envolverão.

Tentamos controlar os eventos da nossa vida, mas não somos capazes de controlá-los. Diante dessa frustração, limitamos nossa vida a circunstâncias menores, sobre as quais temos certo controle. Mas essa atitude reduz nossa qualidade de vida, limita o desenvolvimento de nosso potencial, impede-nos de explorar nossos talentos. Para desenvolver nosso potencial, é preciso se expor, se lançar em ambientes onde não sabemos o que fazer, onde não existem somente certezas. E esses momentos podem nos encher de desespero e angústia se nossa relação com o tempo for equivocada. "Gosto do desafio de fazer algo novo, tenho um medo positivo. Aliás, é esse medo, essa insegurança que me move" afirma Gisele. Perceba que a insegurança sobre a qual ela fala, é a mesma que, muitas vezes, nos paralisa. "Sou uma pessoa como qualquer outra, que erra e acerta", ela diz. É nesses ambientes, repletos de desafios, que crescemos mais, é neles que descobrimos nosso verdadeiro propósito, que moldamos nosso caráter.

No capítulo 6, sobre o Paradoxo da Inteligência, abordei um incidente que ocorreu na carreira de Gisele. Num evento da Victoria's Secret, manifestantes da Peta invadiram a passarela para protestar contra a modelo. Gisele tinha assinado um contrato com a Blackglama, que fabrica roupas usando pele de animais. Você lembra qual foi a reação de Gisele? Nos dias seguintes, ela assumiu publicamente que o fato de ter assinado o contrato com a Blackglama foi um erro. "Eu não uso roupas de pele e entendo os manifestantes", ela disse.

Em síntese, se você cometeu um erro no passado, e aprende com ele no presente, você permanece usando o tempo cronológico. Mas se você fica se remoendo por dentro, se está nadando num oceano de remorso, de culpa e de arrependimento, está transformando o passado no presente. Transforma um erro em uma parte do seu ser, se identifica com ele, torna-se o erro, você está perdido no tempo psicológico. A incapacidade de perdoar a si mesmo e aos outros é um exemplo típico desse equívoco.

Se você estabelece uma meta e trabalha para atingi-la, está usando o tempo cronológico. Você sabe para onde está indo e está dando toda sua atenção no trecho do caminho em que está agora. Mas se, ao contrário, o resultado final se torna uma obsessão no presente, e seu caminho torna-se um meio para chegar ao instante que está no fim do trajeto, lá adiante, no futuro, acreditando que quando obtiver o resultado almejado, será feliz, você não vive mais no instante real onde se encontra, mas no futuro. Você está vivendo no tempo psicológico. Todos os planos, metas e o próprio propósito são estabelecidos no tempo cronológico. O tempo psicológico tem seu foco constante no aqui e agora.

Quando estamos envoltos pelo tempo psicológico, a vida cria uma obsessão pelo futuro como escape para a insatisfação do presente. Precisamos atingir nosso objetivo para que nossa vida tenha sentido. Isso é um erro. Estar livre desse erro é não perseguir nossas metas com uma determinação cega guiada pela ansiedade, insegurança e medo, pela necessidade de triunfar para se tornar alguém. Nossos dias perderão o sentido. Estar no presente, quando tudo o que você gostaria é estar no futuro, gera angústia, ansiedade, insegurança e insatisfação. Quando estamos livres do medo, da angústia, da insegurança, o caminho está aberto para tudo o que buscarmos.

Cada dia é uma etapa. Você pode fracassar ou ser bem sucedido. É a contagem dos dias que conta. São os dias bem sucedidos que o levarão até seu propósito. Se você fracassar no maior percentual dos dias, nunca será bem sucedido. Mas se seu dia for de sucesso, não há como fracassar. É simples e óbvio assim. Você sabe o que quer e sabe o que fazer, se não o faz, falhou no que concerne a esse dia. Você nunca obterá êxito no presente, se ficar remoendo o passado ou construindo castelos de areia no futuro. O propósito se alcança com ações práticas, e você só pode agir no momento presente.

Observe a atitude de Gisele em relação ao desfile com Justin Timberlake. Você poderia dizer: como não se preocupar?! Ela poderia ter analisado as circunstâncias do desfile, tentar prever o que poderia dar errado, avaliar os riscos ou fazer essa série de análises que todos fazemos antes de um evento? Claro, você pode e deve avaliar possíveis circunstâncias. Mas a verdade é que não podemos prever os resultados e, nem mesmo, os fatos mais triviais do amanhã. As contingências raramente dependem de nós. Tudo o que podemos fazer é dar o melhor de nós em cada instante. Fazer de cada ato isolado um sucesso em si.

Nos encontros do Projeto 5, Valdir não disse a suas filhas o que elas deveriam fazer. O que ele fez foi criar um sistema de valores e princípios para elas. Depois, ajudou-as a monitorar os diferentes pontos entre as distintas fases do sistema. Através do *Estudo do Perfil Pessoal*, ele deu a elas um mapa compreensível de si mesmas, e com um planejamento integrado, deu-lhes as ferramentas necessárias para construir o caminho que as levaria até seu destino. Mas as escolhas sobre as ações são um processo individual. É aqui onde a maioria de nós erra. Nós nos preocupamos com o que os nossos filhos devem fazer, tentamos controlar seus caminhos, mas pecamos ao não oferecer um mapa, um sistema de valores que seja completo, que esteja à altura para competir com as coisas oferecidas pelo meio externo. Quando tomamos uma decisão, não somos capazes de avaliar todas as opções possíveis. Isso tomaria muito tempo. Por isso, é necessário definir, no início, o objetivo da jornada. Para facilitar o processo das infinitas escolhas do dia a dia, precisamos definir alguns padrões que são irrevogáveis, e esses padrões devem ser nossos valores: como honestidade, integridade e simplicidade.

RODDICK ENTREGOU O JOGO

Outro fator fundamental do foco é o sentido pelo qual queremos atingir nosso propósito. Para facilitar a compreensão, vamos analisar um evento na carreira do tenista americano Andy Roddick. Ele iniciou sua carreira como profissional em 2000. Antes disso, já havia se consagrado o melhor tenista juvenil. Em 2000, como profissional, tornou-se o tenista mais jovem entre os duzentos melhores do mundo. No ano seguinte, tornou-se o mais jovem entre os vinte melhores. Em 2002, estava entre os dez. No ano seguinte, era o tenista número um do mundo, o segundo mais jovem a conquistar o título. Em maio de 2005, no torneio Máster Series de Roma, Roddick jogava as oitavas de final contra o espanhol Fernando Verdasco. Roddick venceu o primeiro *set* e estava ganhando o segundo, quando Verdasco efetuou um saque aparentemente decisivo.

No tênis, o jogador tem duas oportunidades para dar o saque. Se ele erra a primeira, é uma falta. Quando ele erra dois saques ele comete falta dupla e perde o ponto. Verdasco já havia errado o primeiro saque, e, quando deu o segundo, o juiz de linha entendeu que a bola foi para fora outra vez, e anunciou a falta dupla. Seria o ponto que daria a vitória para Roddick. Mas, contrariando a decisão do juiz, Roddick não aceitou o ponto. Ele foi até a marca deixada pela bola e fez um sinal com o pé, provando que ela havia caído dentro. O juiz aceitou a argumentação de Roddick e deu o ponto para Verdasco, que acabou vencendo a partida, eliminando Roddick do torneio.

Existe uma crença entre nós que, para vencer na vida, é preciso ser um predador. Mas histórias como as de Roddick, provam exatamente o contrário. Ela nos introduz ao terceiro ponto crucial que precisamos levar em conta na hora de direcionar nosso foco. E esse ponto é o sentido pelo qual queremos aquilo que definimos no nosso propósito de vida. Os seres humanos são sistemas enérgicos complexos. Em nossa jornada, o foco não pode ser unidimensional. A energia que pulsa em nós possui quatro dimensões: física, mental, emocional e espiritual. Todas são de fundamental importância. Ter um foco específico para apenas uma dessas forças energéticas não é o suficiente. Nossa jornada pessoal tem um propósito externo, que é a meta que pretendemos alcançar, e um propósito interior, que é a razão pela qual queremos alcançar nossa meta externa. É possível obter sucesso em todas as suas metas externas, e fracassar completamente no propósito interior, que dá sentido a nossas conquistas.

O que faz com que você se levante todo dia? Quais são os valores e princípios que guiam seus passos na jornada do sucesso? Perceba, não estamos falando aqui do *"o quê?"* você quer alcançar na vida. Estamos falando do *"por quê?"* o quer. Muitas pessoas trabalham muito, estabelecem metas, criam estratégias, alcançam objetivos espetaculares, mas não encontram sentido para a vida. Não conseguem encontrar o verdadeiro propósito naquilo que fazem. Outras estabelecem metas e esperam atingi-las para serem felizes. Se você realmente está vivendo sua vida, cada momento deve ter sentido, todo dia deve ter um significado. Porém, para compreender o sentido da vida, precisamos antes acreditar que esse sentido existe. Esse sentido é encontrar uma razão para estar aqui.

É evidente que Roddick queria vencer o jogo contra Verdasco. Esse era seu propósito. Era para isso que ele havia se preparado durante a vida inteira. Seu objetivo era a vitória. Mas havia também um conjunto de princípios que pavimentavam esse caminho. Ou seja, ele queria vencer, mas havia um conjunto de princípios que regulamentavam a maneira de conseguir a vitória. Se tudo que fizermos é estabelecer metas e procurar atingi-las, inevitavelmente chegará o momento em que atingiremos as metas, e sentiremos que continuamos no mesmo lugar de onde saímos. É comum ver pessoas atingir um elevado estágio de sucesso, onde são consideradas estrelas, e se entregar a distrações como drogas, álcool, e, até mesmo, em muitos casos, se suicidam. Elas alcançaram o seu *o quê?*, mas não sabiam bem o *por quê?*.

Ser pego no auge do sucesso profissional sem a construção de um sentido superior, além do próprio sucesso, resulta em desespero. Veja, por exemplo, a história de dois ícones da moda: Kate Moss e Naomi Cambpell. Ambas, em certo sentido, atingiram o ápice da carreira de modelo, assim como Gisele. Mas suas vidas, pelo menos pelo que se pode constatar por meio dos fatos, são bem diferentes. Kate Moss nasceu na Inglaterra, em 1974. Assim como Gisele, iniciou sua carreira aos 14 anos. Kate foi um sucesso imediato e se tornou uma das grandes estrelas do mundo fashion. Durante anos, o jornal inglês *Daily Mirror* afirmou diversas vezes que Kate era dependente de cocaína. Ela negava, dizia que as afirmações do jornal eram ridículas. Até que, em setembro de 2005, o jornal divulgou uma série de fotos onde a modelo aparecia consumindo a droga. Uma série de escândalos sucedeu à publicação. Pouco tempo depois, Kate havia perdido a maioria dos contratos. Por fim, ela assumiu a dependência. No mesmo ano, entrou numa clínica de reabilitação e libertou-se do vício.

A também inglesa Naomi Campbell surgiu no mundo da moda na década de 80, quando foi descoberta por John Casablancas, da Elite Models. Anos depois, foi demitida da agência pelo próprio Casablancas, que justificou o motivo da demissão como falta de profissionalismo da modelo. Esse foi apenas o início da tumultuada carreira de Naomi. Em 2001, ela foi expulsa da loja Voyage, em Londres. Naomi brigou com os funcionários da loja, porque eles demoraram em abrir a porta para que ela pudesse entrar. Em 2005, sua melhor amiga, a atriz Yvonee Scio, deu queixa à polícia contra Naomi. Yvonne teve de ser hospitalizada com um corte na boca e várias contusões, após Naomi ter lhe desferido socos e chutes no hotel onde as duas amigas estavam hospedadas, em Roma. O motivo da confusão foi o fato de Yvonne ter usado um vestido igual ao de Naomi numa festa. Em outubro de 2006, Naomi foi detida no centro de Londres por ter agredido a psicóloga que lhe dava assistência no seu tratamento contra a dependência de tóxicos. Em 2007, em seu apartamento em Nova York, a empregada demorou a encontrar uma calça jeans da modelo. Irritada, Naomi jogou o celular na cabeça dela, que teve de ser hospitalizada. Em 2008, Naomi foi presa no aeroporto em Londres porque ficou irritada quando descobriu que uma de suas malas fora extraviada. Quando dois policias apareceram para acalmá-la, ela passou a dar coices e a cuspir nos policiais. Ela foi algemada e presa. Mais tarde, condenada a prestar duzentas horas de serviços comunitários e a pagar uma indenização aos policiais.

Esses comportamentos são uma expressão compilada do sentido peculiar que cada um dá à vida. A maneira como nós processamos nosso dia a dia é resultado direto dos valores e princípios que cultivamos, do sentido maior através do qual vemos a vida. O refúgio em drogas e outros comportamentos que manifestam sinais de pretensa superioridade, e que, na verdade, são complexos de inferioridade, decorrem da falta de sentido, ou, talvez, de um sentido equivocado. O que guia a sua vida? O medo? O ódio? A aventura? O que define o seu *por quê*? A competição com seu vizinho? Os seus pais? A culpa? O passado? O que determina o seu foco?

O ser humano é extremamente suscetível às questões espirituais. Embora, muitas vezes, o ignoremos, nós ansiamos por um sentido maior. Sua ausência torna qualquer conquista volúvel, e a razão, inexplicável. No caso de Naomi Campbell e Kate Moss, ou mesmo de Kurt Cobain, citado no capítulo 4, o sucesso, antes de ser um fator positivo, se tornou uma causa de isolamento. Quando não temos certeza dos nossos valores, quando somos incapazes de reconhecer a humanidade que existe por detrás das nossas conquistas, vemos a nós mesmos como autônomos e desconectados do mundo; e o sucesso perde o sentido. Estabelecer um foco na nossa necessidade espiritual é a única coisa capaz de dar um sentido verdadeiro às nossas conquistas. Precisamos ter fé de que há uma razão maior pela qual estamos aqui. Ninguém consegue viver uma vida em toda sua plenitude sem que ela tenha um sentido superior. Todos estão aqui por uma razão. A pergunta é: qual? E a resposta é diferente para todos. Porém, é certo que estamos aqui para criar, expandir e compartilhar e, nesse processo, o propósito nos diz o que fazer, e o sentido nos diz como fazê-lo.

No capítulo 2, contei a história de Viktor Frankl. Ele passou mais de três anos num campo de concentração. Perdeu a esposa, pai, mãe, irmão e a maior parte dos amigos nas câmaras de gás. E mesmo diante de toda dor e sofrimento, ele decidiu que sua vida ainda faria sentido. Lá mesmo, no campo de concentração, decidiu que o propósito de sua vida seria lutar para permanecer vivo. E que, algum dia, ele iria sair dali, contaria ao mundo todos os horrores pelos quais passou, e, dessa forma, evitaria com que isso se repetisse. Simplesmente por procurar um sentido, a vida se tornou um caminho digno, cheio de propósito, mesmo num campo de concentração. Foi esse mesmo foco que permitiu que a Toyota encontrasse uma alternativa perfeita para solucionar o problema que ela enfrentou. Se você soubesse o sentido do Lexus, e mantivesse o foco nele, teria sido muito fácil encontrar a mesma solução que foi encontrada. Afinal, o foco no sentido dá simplicidade às coisas.

O CONCEITO DE FELICIDADE

Em 2008, um repórter perguntou a Gisele se ela era feliz. Ela não hesitou: "Ah, sou!", respondeu. "As pessoas perderam um pouco da realidade do que significa ser feliz. Eu era feliz no dia que eu nasci e até hoje sou feliz porque tenho minha família, amigos, tenho experiências que me tornam o que sou e gosto de mim", ela disse. Esse é o sentido que ela deu para sua vida. A forma como nós pensamos sobre determinada situação é o sentido que atribuímos a essa situação. Nada tem sentido, exceto o sentido que nós damos. Siga, outra vez, o exemplo do Lexus. O que o erro significou? É o significado que eles mesmos deram, e que está relacionado ao sentido superior da empresa.

Esse é um conceito muito simples, básico, mas poderoso. Nossa habilidade para manter o foco adequado, de acordo com nosso propósito, e o sentido por detrás do propósito, tem o poder de mudar nossa vida. O sucesso e a felicidade que alcançamos é um resultado direto de onde mantemos nosso foco. Não são os eventos que determinam as circunstâncias, mas o foco que damos aos eventos. A maneira como nos comunicamos com nós mesmos sobre a situação. Em outras palavras: não é o que acontece, mas o que nós fizemos com aquilo que nos acontece que determina nosso estado emocional, como nos sentimos e como reagimos. Por que você toma decisões? Para se sentir melhor. Mas somente nos sentiremos melhor se tivermos um propósito para guiar nossas decisões. Muitos de nós somos pegos por não saber o motivo exato pelo qual tomamos decisões. Nosso caráter só se expande se ele for desafiado. Se você entender o motivo pelo qual você está tomando uma decisão, você se sente mais seguro.

CAPÍTULO 9

O efeito Pigmaleão

Como a forma de pensar interfere nos resultados que você busca?

EM JULHO DE 1999, UM RUMOR NUMA ESCOLA de ensino médio da Bélgica provocou alvoroço no mundo inteiro. Tudo começou quando 42 crianças da cidade de Bornem passaram mal e tiveram de ser hospitalizadas. Todas elas apresentavam os mesmos sintomas: enjôo, tontura, dor de cabeça e diarreia. Questionadas sobre o que haviam ingerido, as evidências apontavam para uma única coisa: todas haviam bebido Coca-Cola. E mais: elas alegavam ter sentido um cheiro estranho ao beber o refrigerante. A notícia rapidamente correu o país. Dois dias depois, oito crianças de uma cidade vizinha também tiveram que ser internadas. No dia seguinte, mais 13. Em dez dias, o número havia subido a cem. Em meio à confusão de boatos, medo e ansiedade, em duas semanas, o número já havia chegado a duzentas, todas com os mesmos sintomas. A essa altura, a suposta contaminação já havia rompido as fronteiras da Bélgica e se espalhado por diferentes partes da Europa.

Numa atitude quase desesperada, uma equipe de investigadores da Coca-Cola baixou imediatamente nas fábricas de onde a bebida havia saído. Após uma série de investigações, o que parecia ser o problema veio à tona. Duas fábricas, uma na Bélgica e outra na França, usaram gás carbônico inadequado, contendo sulfeto de hidrogênio, para gaseificar o refrigerante. Após a constatação, a Coca-Cola garantiu que seus produtos eram seguros. Mas, com o surgimento de novas vítimas a cada dia, ninguém acreditou. Diante da crise, o governo belga obrigou a Coca-Cola a recolher do mercado todos os produtos da sua marca. Mais de 15 milhões de garrafas foram retiradas de bares, restaurantes e supermercados belgas.

Isso piorou ainda mais a situação. Quando o governo interdita um produto, forçando o recolhimento involuntário, emite um sinal de que a empresa responsável pela marca não tem mais controle sobre a situação. Nos dias seguintes, Luxemburgo, França, Suíça, Holanda, Alemanha e Espanha, em estado de alerta, também exigiram que a empresa recolhesse do mercado os produtos fabricados nas plantas onde ocorreu a contaminação. A decisão provocou um dos maiores *recalls* da história. Para a empresa, foi um desastre.

Sem compreender exatamente o que estava acontecendo, a Coca-Cola tomou medidas mais severas. Mas não havia muito que fazer. A equipe que investigou a suspeita de contaminação reassegurava sua posição inicial. Ela afirmava que seus produtos, mesmo os fabricados nas duas plantas suspeitas, eram seguros. De acordo com o resultado dos exames feitos pela Coca-Cola, a quantidade de sulfeto presente no dióxido era de cinco a 17 partículas em um bilhão. Para causar qualquer sintoma como os revelados pelas supostas vítimas, o sulfeto de hidrogênio deveria estar presente num nível no mínimo mil vezes superior ao do constatado. A quantidade de sulfeto presente no refrigerante podia até alterar o cheiro da bebida, mas não havia possibilidade de que causasse os sintomas que essas pessoas estavam apresentando. Se a tese defendida pela empresa estava correta, o que fez as pessoas, em diferentes pontos da Europa, a passar mal? O que realmente aconteceu no episódio da Coca-Cola?

Uma equipe de toxologistas, coordenada por Ben Nemery, da Universidade Católica de Louvan, de Bruxelas, investigou paralelamente o incidente. No final, o grupo confirmou o que já havia sido anunciado pela Coca-Cola, ou seja, o nível de contaminação encontrado no refrigerante não era o suficiente para provocar os sintomas sentidos pelas vítimas. A essa altura, a história da contaminação já tinha causado um prejuízo de US$ 60 milhões à Coca-Cola.

Se a contaminação não existiu, o que foi que aconteceu? De acordo com Nemery e a equipe que investigou o incidente, os sintomas apresentado pelas pessoas foram o resultado sintomático de uma histeria em massa causada pelo medo de uma possível contaminação. Em outras palavras, as pessoas beberam o refrigerante, sentiram o cheiro anormal causado pelo sulfeto de hidrogênio, tomaram conhecimento dos boatos de contaminação do refrigerante, imaginaram que ele estivesse contaminado e passaram a sentir os mesmos efeitos anunciados na mídia.

A TEORIA DE MALTZ

O que isso significa? Essas pessoas estavam fingindo? Inventando os sintomas? A resposta, de acordo com os médicos, é não. Os sintomas sentidos por essas pessoas eram absolutamente reais. Algum tempo atrás, um cirurgião plástico chamado Maxwell Maltz fez uma série de descobertas estranhas. Alguns anos após iniciar a prática de cirurgias, ele passou a perceber que a correção de um defeito estético podia afetar o caráter e a personalidade das pessoas. Muitas vezes, mudar a aparência física criava uma pessoa completamente nova. "Caso após caso, o bisturi que mantinha em minhas mãos se tornou uma varinha mágica que não apenas mudava a aparência das pessoas, mas também sua personalidade", conta Maltz. "O tímido e introspectivo se tornava extrovertido e corajoso. Aquele que era considerado estúpido e ignorante se tornava brilhante e cortês. Um vendedor que havia perdido a confiança em si virou modelo de autoestima".

Maltz conta que era fácil compreender a atitude dessas pessoas. Afinal, ele havia alterado algo que antes as fazia sentirem-se inferiores. Mas havia outro grupo que o intrigava ainda mais. Paralelamente aos que mudavam sua personalidade havia outros que não mudavam em nada. Mesmo após alterar sua fisionomia facial por completo, eles mantinham o comportamento como se nunca tivessem realizado a correção. Eles insistiam que a cirurgia não mudara em nada sua aparência. "Nesses casos, não importava a intensidade com que a fisionomia do paciente era alterada. Eles afirmavam, com desespero, que continuavam exatamente os mesmos. Você não fez nada!" acusavam o médico. "Muitas vezes, os amigos e a família mal reconheciam o paciente, mostrando-se entusiasmados com o novo visual. Mas o paciente se mostrava insatisfeito, insistindo que não conseguia perceber mudança alguma", ele conta. Maltz, então, apelava para o "antes e depois", insistindo nas diferenças notáveis que poderiam ser percebidas na comparação fotográfica. Isso irritava os pacientes. "Através de uma estranha alquimia mental, o paciente racionalizava: é claro! Eu posso ver que a corcova não está mais no meu nariz, mas ele continua exatamente o mesmo!".

O mistério intrigou Maltz. Se o bisturi é mágico para alguns, por que para outros, que alteravam sua aparência da mesma forma, nada significava, saiam da sala de cirurgia cobertos pela velha personalidade, como se a correção nunca houvesse sido feita? Estas pessoas estavam mentindo? Ou elas esperavam um resultado melhor da cirurgia? Nem um pouco. As observações de Maltz ao longo dos anos o levaram a uma conclusão alternativa: a aparência física não era o fator determinante de neuroses, insatisfação, fracasso, medo e ansiedade que muitas vezes lhe era equivocadamente atribuída. Estes fatores estavam muito mais relacionados ao ponto de vista psicológico. A cirurgia plástica só teria um resultado efetivo se, além da mudança física, a pessoa tivesse outra, psicológica. "Se a imagem desfigurada não é removida da mente das pessoas, ela continuará agindo como se a cicatriz ou o aspecto indesejável ainda estivesse lá", explicou Maltz.

O mecanismo que cria uma histeria coletiva ou que afeta nossa auto-estima após uma cirurgia plástica é o mesmo que define inúmeros outros fatores na nossa vida. Se, no nosso dia a dia, estivermos às voltas com pensamentos de angústia, ansiedade, preocupação, por exemplo, a tendência é experimentar essas emoções. A manifestação física seguirá essa emoção num processo natural e inevitável. Da mesma forma como o medo de se contaminar pode produzir em nós os mesmos sintomas de alguém que de fato se contaminou, o sentimento forte que mantemos em relação ao nosso objetivo pode manifestar esse desejo fisicamente. Não estou querendo dizer que há uma relação mística entre o desejo puro e sua manifestação. O que estou querendo dizer é que ao desejar profundamente alguma coisa, esse sentimento nos estimula a buscar todos os meios para concretizá-lo. E nessa relação, há um mecanismo de suporte mútuo, que, se quisermos, poderemos classificar como místico.

Anos atrás, os psicólogos Robert Rosenthal e Lenore Jacobson realizaram um estudo sobre como as expectativas dos professores afetam o desempenho dos alunos. Rosenthal e Jacobson concluíram que professores que têm uma visão positiva dos alunos tendem a estimular o lado bom desses alunos, fazendo com que eles apresentem melhores resultados. Ao contrário, professores que não têm apreço pela classe adotam posturas que acabam por comprometer negativamente o seu desempenho. Rosenthal chamou esse fator de Efeito Pigmaleão. O nome tem sua origem numa fábula do poeta romano Ovídio. Na fábula, Pigmaleão é um escultor que se apaixona pela sua própria obra: uma escultura. A deusa Vênus recompensa Pigmaleão dando vida à estátua. O sentimento do artista muda a condição da estátua. O Efeito Pigmaleão significa, portanto, o resultado de nossas expectativas. Ou seja, como se realinhássemos a realidade de acordo com as nossas expectativas em relação a ela.

A INFLUÊNCIA DOS KENNEDY

Joseph Kennedy era um filho de imigrantes irlandeses católicos que imigraram para Boston, Massachusetts, por volta de 1840. Joe, como era conhecido, fez fama nacional e tornou-se milionário no início do século 20. Durante a Segunda Guerra Mundial, ficou amigo de Franklin Roosevelt, que o nomeou embaixador dos EUA na Inglaterra. Seu maior legado, porém, não foi a fortuna ou a fama, mas sua família.

Casado com Rosemary, Joe teve nove filhos. Três deles se tornaram senadores, e um deles, John Kennedy, presidente da República. De longe, a família de Joe é a mais influente na história moderna da política americana. Joe construiu sua família de forma estratégica. Ele uma vez disse "a imaginação é realidade", e a presidência dos Estados Unidos foi a moldura que mantinha os sonhos de Joe.

Aos 14 anos, Valdir Bündchen escreveu um artigo para o jornal de sua escola. Seu objeto de pesquisa foi a família Kennedy. Esse fato, penso, pode ser considerado a gênese do sucesso da família Bündchen. "Lembro que era atribuída a Joseph Kennedy, o chefe do clã, uma citação onde ele dizia que a importância de um homem na vida não se mede pela fortuna que ele acumula, mas pela família que forma", conta Valdir. "Talvez de forma inconsciente, eu desenvolvi uma relação com o desejo de ter uma família feliz. Isso passou a fazer parte do meu objetivo pessoal", ele conta. "Como era uma família de sucesso, acho que sempre pensei ter uma assim. A frase dita por Joe foi a minha grande referência", afirma Valdir.

Não consigo deixar de ver uma similaridade extraordinária nas duas histórias: a de Joseph Kennedy e a de Valdir Bündchen. Saber que Valdir teve a história de Kennedy como referência é uma prova concreta de que aquilo que pensamos e a forma como agimos é muito mais um resultado de certas predisposições mentais do que queremos acreditar, ou mesmo do que podemos perceber.

No caso da histeria coletiva, alguém ouve ou vê outra pessoa ficar doente. Ela descobre que o enfermo bebeu Coca-Cola com um cheiro estranho. Logo se deduz que a causa dos sintomas é uma intoxicação. Então ela lembra que também bebeu Coca-Cola e que o refrigerante também tinha um cheiro estranho. Ela fica com medo. O medo a torna ansiosa, angustiada. A angústia a enfraquece, ela sente um mal-estar, seguido por tontura e dor de cabeça. A pressão sobe, a pessoa se sente fraca, o sistema imunológico se altera, e ela passa a sentir os mesmos sintomas. Outra pessoa ouve o boato sobre as duas pessoas contaminadas, ela passa pelo mesmo processo, obtendo os mesmos resultados.

Ao estudar a família Kennedy, por exemplo, Valdir sente uma forte emoção positiva e deseja intensamente ter uma família similar. Ele passa a imaginar como seria bom ter uma família assim. Em seguida, ele percebe um vizinho que possui uma família grande. Ele a observa e analisa se essa família tem princípios e valores positivos. Encanta-se com ela, torna-se próximo, aprende com ela, capta as coisas que estão nas entrelinhas. Se, ao contrário, ele descobre uma família que não é como a que ele visualizou para si, ele observa o que não deve fazer. Dessa forma, esse desejo opera, mesmo inconscientemente, a favor dele. Esse mecanismo trabalha de forma natural e espontânea para atingir as metas estabelecidas. Não importa se elas são de fracasso ou de sucesso.

O Efeito Pigmaleão diz que, quando nós temos certo tipo de expectativa, ao se tornar uma crença, ela provoca a sua própria concretização. Quando as pessoas esperam ou acreditam que algo acontecerá, agem como se a previsão já fosse real, e ela acaba por se realizar efetivamente. Ao assumir algo como uma verdade, essa crença influencia o comportamento das pessoas, seja por medo ou por confusão lógica, de modo que a reação delas acaba por tornar a profecia real. Compreender esse mecanismo pode significar a diferença entre o sucesso e o fracasso, entre uma vida de amor ou de ódio, amargura ou felicidade. Compreender esse mecanismo significa saber a diferença entre a liberdade e a conformidade. Ou seja: se mantivermos emoções positivas em nossa mente, e tivermos imagens positivas sobre o que buscamos, se vivermos na expectativa, como se já tivéssemos alcançado esse objetivo; sentiremos emoções positivas. Nós não podemos olhar para uma situação futura e chegar a uma conclusão sobre seus resultados, mas podemos descobrir isso através das nossas emoções.

Alguns autores, ao longo das últimas décadas, desenvolveram uma teoria para explicar esse processo. Eles se referem a ela como a Lei da Atração. Num sentido bem simples, a Lei da Atração diz que se você possui sentimentos de sucesso e autoconfiança, você vai agir com sucesso e autoconfiança. Se o sentimento for intenso, você vai agir de maneira intensa. Não importa para que direção, negativa ou positiva, esse sentimento estiver focado. A Lei da Atração não é um estado místico, misterioso. Ela é esse estado mental baseado na segurança que seu talento orientado pela Lei da Tripla Convergência lhe dá. Não tente criar estratégias externas e superficiais para colocar a Lei da Atração em funcionamento, você apenas vai se frustrar. É muito mais simples e muito mais efetivo descobrir seu talento, definir uma meta clara e específica. Depois, imagine-se atingindo essa meta, de forma clara e vívida. Em seguida, capture o sentimento que você experimentaria se seu propósito já fosse realizado. Se você desenvolver esse processo, você agirá de forma espontânea e criativa. Então você estará usando o poder da Lei da Atração, que, na verdade, não é nada mais que a Lei da Ação e Reação em atividade. A ação interior cria uma reação externa. Se você estiver programado para o sucesso, a natureza se encarregará de suprir você com ideias, ações e circunstâncias que abastecerão todas as necessidades para que você cumpra sua meta. Há uma verdadeira magia nesse estágio. Ele pode fazer desaparecer obstáculos e situações de forma inusitada. Pode reverter erros e falhas em eventos que o auxiliam a avançar no caminho.

Isso não é complicado ou místico como parece. Nós repetimos esse processo a toda hora. O que é, por exemplo, a ansiedade de não ter dinheiro para cobrir as contas no final do mês? O medo de não conseguir passar no concurso que tanto sonhamos? Todo sentimento de preocupação sobre resultados indesejados que possam vir a ocorrer no futuro, ansiedade ou humilhação? Em todas essas circunstâncias, nós sentimos, de forma antecipada, as mesmas emoções que sentiríamos se esses infortúnios já tivessem acontecido. De certa forma, vivemos numa constante zona do medo. Imaginamos o resultado negativo, nos vemos numa situação desprivilegiada, de forma viva e cristalina, em todos os detalhes. Repetimos essa imagem inúmeras vezes. Não conseguimos dormir em função das emoções negativas que essa imagem nos traz. E no fim, essas imagens se tornam reais. As pessoas de sucesso realizam esse processo de maneira inversa. Elas sentem essa mesma emoção, mas de forma positiva. A essência disso tudo é permanecer orientado com sua meta. Você mantém seu propósito de forma positiva em mente, atua sobre seus pontos fortes, movendo-se em direção a sua meta. Se você consegue fazer isso, a dedicação passará a agir como estímulo que, por sua vez, libera força adicional para auxiliá-lo nesse processo.

O LADO PERVERSO DO PRECONCEITO

Ao longo dos últimos anos, um número significativo de psicólogos passou a analisar mais de perto a influência que esse processo tem sobre nossas ações. Cada minuto que estamos em contato com alguém fazemos uma série de análises e predições sobre o que o outro está pensando e sentindo. Quando conhecemos alguém, por exemplo, ficamos em constante estado de alerta para descobrir se ele gostou ou não de nós. De acordo com esses sinais, nossa relação se define. Se nossas emoções possuem um poder impressionante sobre nós, será que elas possuem influência sobre os outros? Será que aquilo que pensamos e sentimos, mesmo quando não o expressamos em palavras, pode afetar outras pessoas? Se você ligar para o cliente, e tiver um sentimento ruim sobre ele, será que isso afeta o desempenho da conversa?

Não muito tempo atrás, um grupo de psicólogos resolveu descobrir até que ponto nosso estado emocional pode interferir na formação de um preconceito sobre uma pessoa mesmo antes de conhecê-la. No primeiro estágio da experiência, foram separados oito rapazes e oito moças. Para garantir que os membros do casal não identificassem ou interagissem entre eles, foram conduzidos a salas separadas, por diferentes corredores. O orientador informou a cada participante que ele participaria de um estudo sobre os processos de formação de conhecimento em relações sociais e que, para isso, ele teria de conversar, por telefone, por dez minutos, com um acadêmico de psicologia. Em seguida, as moças tiverem que escrever uma breve biografia, relatando as características principais de sua personalidade. Essa biografia seria fornecida aos rapazes como informação sobre a pessoa com quem estariam interagindo e serviria de estímulo para iniciar a conversação.

Aos rapazes foi explicado que receberiam uma descrição breve do caráter e da personalidade de suas interlocutoras. Também lhes foi dito que, junto ao questionário, receberiam uma fotografia da pessoa com quem falariam. Um detalhe importante: a biografia era verdadeira, a fotografia, não. A equipe havia tirado fotografias de vinte moças em diferentes universidades, e submetido as fotos à avaliação de vinte rapazes, todos com a mesma idade das moças. Cada um desses vinte rapazes foi convidado a dar uma nota de 01 a 10 para cada foto, de acordo com a beleza da pessoa retratada. Depois, a equipe selecionou as quatro fotos que tiveram a votação mais alta e as quatro com a votação mais baixa. Depois, as fotos foram anexadas às minibiografias das mulheres que participavam do estudo e distribuídas entre os homens. Todos acreditavam que a foto seria da pessoa com quem falariam. Nenhuma mulher sabia que os homens haviam recebido fotografias juntamente com as biografias.

Após ler a biografia e olhar a fotografia, os homens tiveram de preencher um formulário definindo a expectativa que alimentavam sobre como seria a conversa com a mulher. Os que receberam as fotos do grupo de mulheres mais bonitas alimentavam uma expectativa positiva. Diziam que acreditavam que a mulher seria simpática, sociável, carismática. Os que receberam a fotografia do grupo de moças menos atrativas, ao contrário, disseram acreditar que sua interlocutora seria casmurra, antipática, antissocial. Depois, os rapazes ligaram para as moças e conversaram durante dez minutos.

A equipe de pesquisadores gravou as conversas em diferentes canais: num canal, gravou apenas a conversa das moças, noutro, a dos homens. Para fazer uma análise do resultado das conversações, a equipe montou um júri de doze acadêmicos de psicologia. Ao júri, foi fornecida apenas a parte da conversa das moças, e solicitado que preenchessem um formulário idêntico ao que havia sido preenchido pelos homens, minutos antes de se engajarem na conversa com as mulheres. O júri não tinha nenhum conhecimento do método da pesquisa. Não sabiam, portanto, nada sobre ela. Apenas avaliaram a impressão que a voz e o conteúdo da conversa das moças lhes causou, preencheram o formulário e o entregaram à equipe de pesquisadores.

No final da análise, o grupo de pesquisadores comparou os dois formulários de cada uma das oito moças, ou seja, cruzaram o que o rapaz havia preenchido sobre as impressões e expectativas após ler a biografia e observar a foto da moça, antes de falar com ela; e a avaliação feita pelo grupo de estudantes de psicologia, a partir das impressões que esse grupo obteve ao ouvir a parte da conversa das moças.

Após a avaliação dos dois formulários, a equipe constatou que, em todos os quadros, as respostas eram idênticas. Ou seja, a impressão que o rapaz havia obtido sobre a moça, apenas olhando a fotografia, mesmo sendo falsa, foi a mesma que a equipe de estudantes de psicologia obteve, ao ouvir a forma como a moça dirigiu-se ao rapaz. Quer dizer: as moças corresponderam, exatamente, às expectativas que os homens haviam criado delas, olhando para as fotografias falsas. Como isso se explica, afinal?

SEJA SIMPLES

No capítulo 5, a Lição de Delfos afirma que, muitas vezes, criamos imagens de nós mesmos e passamos a incorporá-las. O Efeito Pigmaleão nos diz que isso também é verdade com as emoções. Quando antecipamos nossa impressão sobre os outros, essa impressão acaba se confirmando. Por isso, o que pensamos como livre arbítrio não é, exatamente, uma escolha. O livre arbítrio é muito mais um conceito que diz respeito sobre as escolhas que fizemos na hora de fazer nossas escolhas. Se tudo depende da forma como nós vemos as coisas, e se a forma como vemos as coisas é resultado da estrutura mental que criamos, o Efeito Pigmaleão nos diz que se tivermos uma estrutura adequada à realidade que queremos, essa realidade se manifestará fisicamente. Se nós tivermos o sistema adequado, não precisamos, a toda hora, estar conscientes do que queremos. Isso nos virá de maneira automática.

A razão pela qual a Lei da Atração não funciona para nós é porque não temos a programação adequada para usufruir dessa lei. Nossa programação vem de valores profundamente enraizados, de crenças e conclusões que aceitamos como verdades; ou seja, de nossas convicções, discutidas no Capítulo 7. Muitas dessas convicções são desenvolvidas ao longo da infância, principalmente entre a idade dos três aos oito. E é dessa programação que vem nossa fé, nossa convicção do que é ou não possível. A fé, então, é uma força, uma energia que vem das nossas convicções. Ela é a expressão das nossas crenças mais profundas e brota da intrincada rede mental que formamos ao longo da vida. Por isso, se tivermos uma programação mental negativa, por exemplo, nossa ação, por consequência, será negativa, e a reação, por sua vez, também será negativa.

Nossas convicções, por essa razão, são muito mais fortes do que nossa força de vontade. Mesmo que desejemos muito uma reviravolta na nossa vida, são as nossas convicções que irão determinar nosso trajeto. "Assim também acredito que foi com Gisele, algo a fez acreditar que podia, que ela seria a melhor no queria fazer, isso eu tenho certeza", diz Valdir Bündchen.

Portanto, para usufruir a Lei da Atração, precisamos trazer nossas convicções à tona, tomar consciência da nossa programação inconsciente, do nosso legado cultural, e alterá-lo. Imaginar-se atraindo coisas boas, se nossas condições mais íntimas não condizem com a realidade que buscamos, é um caminho certo e rápido para a frustração. Mas quando a programação mental e o desejo estão alinhados no mesmo propósito, verdadeiros milagres poderão se manifestar num toque de mágica. Impressionante ou não, quando Arnold Schwarzenegger, casado com uma neta de Joseph Kennedy, decidiu concorrer ao cargo de governador da Califórnia, o senador Ted Kennedy deu um único conselho a Schwarzenegger. "Mantenha a coisa simples", disse Ted.

Agora, perceba uma relação estranha; recentemente, ao falar do jeito Gisele de ser, a modelo revelou: "a inspiração da minha vida é: seja simples!" Você percebeu a relação? Isso não significa que há uma ligação mística entre os personagens. A explicação é óbvia. A razão por que ambos chegaram à mesma receita é porque ambos seguiram o mesmo processo de desenvolvimento. O caminho do sucesso, apesar das suas infinitas variáveis, no fundo, tem sempre a mesma base.

Basicamente, o processo segue dois conceitos específicos. O primeiro diz respeito à forma como vemos a nós mesmos. Quando nos vemos sob um ponto de vista negativo, identificados com nossas fraquezas, nos autorizamos a ser assim, fracos, limitados e negativos, o que reduz significativamente nossas escolhas e nossa autoconfiança. O segundo conceito diz respeito a como vemos os outros. Se for de modo negativo, teremos respostas negativas, se o modo for positivo, as respostas serão positivas. Ao longo da vida, quem acreditar nas pessoas e nas circunstâncias, vai emitindo sinais positivos, criando relações sólidas com gente e circunstâncias positivas. Já aquele que, dia a dia, olha para os outros e para as circunstâncias com uma visão negativa, vai emitindo mensagens de descrença e afastamento, fazendo com que nas suas relações, os outros nunca possam mostrar o melhor de si. Com o passar do tempo, esses dois caminhos se distanciam um do outro, definindo o rumo do sucesso e do fracasso.

A VANTAGEM DE SER OTIMISTA

Uma pessoa otimista realmente consegue ter um desempenho melhor do que outra, que se diz realista? Em 1991, o professor de psicologia Charlie. R. Snyder, da Universidade de Kansas, nos Estados Unidos, avaliou a influência do estado de otimismo no desempenho de seus alunos. Ele propôs a seguinte situação para um grupo de acadêmicos: em determinada disciplina, o professor fará três testes de avaliação ao longo do semestre. A nota final será a média alcançada nas três provas. O sistema de avaliação vai de A até F, sendo A a nota máxima, C, a média, e F, a mínima. Essa disciplina é considerada de suma importância para a carreira. Por isso, propõe-se a alcançar, no mínimo, um B como nota final. Porém, quando o participante recebe o resultado da primeira avaliação, sua nota é um D. Em seguida, o pesquisador pede para que o aluno faça de conta que já passou uma semana desde que recebeu a nota. Como está seu estado emocional em relação à meta inicial de atingir um B como média final?

1. Você mantém um elevado nível de esperança em atingir um B como média final.
2. Seu nível de esperança em alcançar a média final cai, mas ainda existe.
3. Você praticamente perdeu a esperança de alcançar um B como média final.

Após obter a resposta dos alunos, Snyder avaliou o histórico anterior desses estudantes e acompanhou seu desempenho em atividades profissionais e escolares durante vários anos. No final do estudo, Snyder constatou que os alunos do primeiro grupo eram mais dedicados. Eles buscavam diferentes alternativas para suprir suas deficiências e apresentaram melhores resultados em suas carreiras. O segundo grupo mostrou certo envolvimento na busca de soluções para seus desafios, mas não teve a mesma dedicação e persistência que o primeiro. Seu desempenho final ficou aquém do atingido pelos seus colegas. O terceiro grupo, composto pelos alunos que disseram que perderiam a esperança, foi o que teve o pior desempenho em todas as áreas de suas carreiras. "Quando se comparam alunos de aptidões intelectuais equivalentes nos rendimentos acadêmicos, o que os distingue é o nível de esperança e otimismo que eles possuem em relação ao resultado final", afirmou Snyder. "Os alunos com alto nível de esperança e otimismo estabelecem metas mais elevadas e são mais persistentes na busca de alternativas para atingi-las. E, geralmente, o conseguem", explica. Pessoas com um elevado nível de otimismo têm certos traços comuns que os distinguem dos demais. Entre eles destaca-se o poder de automotivação; a confiança de possuir capacidades suficientes que os levarão aos meios necessários para realizar seus propósitos; e a flexibilidade para se adaptar aos meios necessários que vão permitir solucionar situações difíceis. O otimismo não é apenas um sentimento ilusório de consolo que nos permite seguir adiante em meio a frustrações cotidianas. Ele também é um dos principais fatores que diferenciam aqueles que atingem seus objetivos daqueles que fracassam.

PENSE SOBRE TOM MANN

Até aqui, avaliamos inúmeras questões que envolvem o sucesso. Vimos a importância do talento, a necessidade de definir um propósito dentro da área de nossas habilidades. Também analisamos a importância das nossas convicções. Pense, porém, num único fator da personalidade, que, de forma isolada, possa ser considerado o mais importante numa vida repleta de sucesso. Qual você escolheria?

Na década de 90, Thomas Stanley, professor da Universidade da Georgia, e seu colega William Danko, realizaram um estudo com cerca de mil milionários americanos. A intenção de Stanley e Danko era descobrir qual era, na opinião desses milionários, as virtudes fundamentais para que essas pessoas se dessem bem na vida.

No topo da lista, apareceu a integridade, da qual já falei no Capítulo 8. Em segundo lugar, estava a disciplina. Mas não é difícil constatar que inúmeras pessoas altamente disciplinadas não apresentam grandes resultados. Então, de que disciplina esses milionários estavam falando? Stanley e Danko resolveram olhar mais o fundo essa questão, e chegaram à conclusão de que a disciplina a que os milionários se referiam era um tipo específico: a disciplina mental.

Stanley descreve uma experiência que teve com Tom Mann, um legendário especialista em pesca esportiva. Mann inventou inúmeras variedades de iscas artificiais que se tornaram famosas entre os pescadores do mundo inteiro. Ele também era conhecido por suas pesquisas sobre peixes e pelo talento em pescar. Mann conquistou várias vezes os mais importantes campeonatos de pesca americanos. "Tive o prazer de ouvi-lo debater os grandes fatores na arte da pesca, mas ele não falou das iscas que ele inventou", escreveu Stanley. Segundo ele, Mann, ao contrário, dizia que a melhor isca para pegar peixe é aquela na qual o pescador tem a maior confiança. "Se o pescador tem confiança na isca, ele vai pescar com confiança. Ele vai pegar peixe se ele acredita na sua isca", explicara Mann. Stanley disse que as palavras de Mann abriram um túnel em sua lembrança. "Eu pesco desde os sete anos, mas não me lembro de um único peixe que eu tenha pescado com uma isca na qual eu não tinha plena confiança de que aquela era uma isca perfeita para atrair os peixes. Eu não pude lembrar-me de uma única exceção", disse Stanley.

Da lição de pesca, Stanley trouxe o conceito de otimismo e confiança para suas pesquisas. "É assim com o sucesso na vida. Se você não tem autoconfiança, vai ser difícil se tornar bem sucedido, porque vai ser extremamente complicado ficar motivado. Se você não acredita em você, não vai acreditar naquilo que faz, e, dessa forma, comunicará sua falta de confiança aos outros". Das milhares de entrevistas com milionários, Stanley concluiu que a autoconfiança é, por si só, muitas vezes, a principal razão pela qual as pessoas triunfam na vida.

No início de sua carreira como professor de marketing na Universidade da Geórgia, Stanley foi colega de David Schwartz. Schwartz se tornou um best-seller internacional com o livro *A mágica de pensar grande*. Numa conversa entre os dois, Stanley perguntou a Schwartz qual a lição mais importante para vencer na vida. "Você pode escolher entre pensar negativo ou positivo", respondeu Schwartz. "O ser humano só consegue ter em mente um pensamento por vez. Se o pensamento for negativo ou positivo, é uma escolha de cada um". Depois, acrescentou: "Você quer ser uma pessoa negativa ou positiva?"

Todos sabem que temos de ser otimistas. Mas para se beneficiar desse princípio, precisamos saber de onde vem o verdadeiro otimismo. Valdir não disse para suas filhas: vocês precisam sorrir, ser positivas. O que ele fez foi criar uma estrutura interna, um sistema de convicções, princípios e valores, que fizesse com que elas se tornassem espontaneamente entusiasmadas e otimistas. E como se constrói isso?

Imagine que você tem um veículo com problemas no motor. Você precisa desse veículo para fazer uma viagem no dia seguinte. O que você faz? Você levar o automóvel numa lavagem, para fazer um polimento? Ou você levá-lo a uma oficina para efetuar um conserto? Esse exemplo pode parecer estranho, óbvio, ou até mesmo ingênuo. Mas qual é a recomendação mais conhecida para elevar sua autoestima? Comprar roupa nova, ir a um salão de beleza, e assim por diante. Isso tudo ajuda, mas é como polir o carro na intenção de superar um problema no motor. Nas nossas emoções, isso até pode produzir um efeito imediato. Mas será apenas temporário.

Se tudo que você fizer é tentar agir de forma positiva, otimista, entusiasmada, mas, por dentro, sua programação está lhe dizendo o contrário, esse foco consciente no otimismo vai destruir sua autenticidade. Internamente, vai sentir-se agindo com falsidade, e o resultado será de acordo com o que sente. Você não pode, pelo menos por muito tempo, provocar um estado de otimismo de forma consciente. O otimismo deve brotar de dentro, das suas convicções, dos seus valores, dos fundamentos que você estabeleceu para sua vida. Para que isso seja possível, você deve estar programado para o sucesso. Não conseguimos ser otimistas apenas com a força de vontade. Ou porque levantamos certo dia e decidimos ser otimistas. Qualquer emoção, para ser autêntica, precisa ter uma estrutura que esteja de acordo. Decidir ser um otimista se todas as nossas convicções são formadas por conceitos negativos apenas nos levará a uma frustração ainda maior.

Só há uma forma de se sentir autoconfiante, e é atuar onde está seu talento, sua habilidade. Suponha que você conheça seu talento, que definiu um propósito com base nos três fatores que compõem a Lei da Tripla Convergência, — talento, paixão e renda, e já enfrentou inúmeros desafios, superando a maior parte deles, então, estará confiante, pois sabe onde e com que está lidando, suas emoções são de segurança, de autoconfiança, e suas ações seguem o mesmo caminho. Nesse caso, é fácil deduzir que o otimismo será natural.

A questão chave sobre o otimismo é que ele emerge de forma natural. Pessoas otimistas não tentam, de forma deliberada, ser otimistas. Elas simplesmente acabam sendo otimistas porque alguma parte da sua personalidade expressa o que elas verdadeiramente sentem, de forma automática, inconsciente. Ou seja, a forma como elas foram programando sua estrutura interna. A outra coisa sobre o otimismo é que ele se revela mesmo nas coisas mais insignificantes do dia a dia. O otimismo não muda ou desaparece em certas ocasiões e se manifesta apenas com certas pessoas ou situações, em certas palavras ou frases. O otimista é estável. Basta estar alguns segundos com uma pessoa otimista para captar seu estado de espírito.

O simples fato de estar agindo onde você sente que tem um talento especial, de estar apaixonado pelo que faz, e de ter um objetivo, fará com que o entusiasmo surja de forma espontânea. Ao invés de ser uma encenação superficial, ele aflora de forma autêntica e natural. Os três fatores — talento, paixão e renda, por si só, são capazes de ativar todo otimismo necessário para vencer na vida. Em outras palavras, o estado de otimismo é uma manifestação do estado de confiança interno que surge de uma situação de conforto em relação ao que você é. E isso só pode ser sentido, e manifestado, se você sabe quem é e age como um agente do eu interno. Quando ocorre o contrário, a emoção positiva criada por um estímulo superficial, pela roupa nova, ou corte de cabelo, se confronta com seu sentimento firme de insegurança que nasce do seu interior.

É esse fator que torna a Lei de Delfos, discutida no Capítulo 5, tão importante. Descobrir a auto imagem revela todas as discrepâncias que as pessoas carregam consigo. Ela é o denominador comum, o fator determinante em todos os casos de sucesso e de fracasso. Para estar plenamente satisfeito, você precisa se aceitar, precisa ter uma auto imagem real, na qual você confie plenamente. Você precisa ter respeito por si próprio. Sentir-se livre para expressar sua criatividade, ao invés de se recolher por medo de rejeição. Você precisa conhecer a si mesmo, tanto os pontos fortes como os fracos, e ser honesto em relação aos dois. Quando você é o que é, não perde tempo criando impressões, não tenta convencer, buscando histórias no passado ou inventando projeções irreais e inseguras para criar um eu imaginário. Sua auto imagem precisa ser uma aproximação exata do que você realmente é, nem mais, nem menos. Quando sua auto imagem é real, autêntica, você se sente seguro. Quando você lida com criações mentais, se sentirá ameaçado e inseguro. Você prefere não se expor para não ser desmascarado na sua farsa.

SÍNTESE

No capítulo 7, sugeri que você simulasse um extrato geral das suas convicções. Você lembra o conteúdo desse extrato? Agora, suponha que você pudesse obter outro extrato que descrevesse, exatamente, a situação em que você se encontra? Qual seria a relação entre esses dois extratos? Qual a convicção que você tem sobre dinheiro, e como ela se manifesta? E sobre seus relacionamentos? E sobre sua saúde? E sobre seu estado físico? Se você fizer essa experiência na prática, verá que o extrato número dois é o resultado acumulativo do extrato número um. O Efeito Pigmaleão nos diz que somos um reflexo das nossas convicções. Se quisermos alterar nosso estado físico, primeiro precisamos alterar as nossas convicções.

CAPÍTULO 10

Os anos de silêncio

Quando o sacrifício e a dedicação são os fatores mais relevantes para alcançar o sucesso?

NO DIA SETE DE FEVEREIRO DE 1964, TRÊS mil pessoas aguardavam ansiosas a chegada dos Beatles no aeroporto de Nova York. Era a primeira vez que a banda inglesa vinha à América. Dois dias depois, o grupo fez sua primeira aparição, ao vivo, num programa de televisão dos Estados Unidos. A apresentação foi vista por 74 milhões de telespectadores. Na época, a metade da população americana. A beatlemania, que já havia tomado conta da Inglaterra, invadia a América. Como a história se seguiu, sabemos muito bem. Mas o que sabemos, de fato, sobre a trajetória da banda antes do estrelato? Afinal, o que tornou os Beatles o maior fenômeno musical da história?

Um estudo realizado no início da década de 90 poderá nos ajudar a compreender melhor esse fenômeno. Um grupo de psicólogos, liderado por Ericson Anderson, decidiu investigar o motivo que faz com que algumas pessoas se tornem tão excepcionais no que fazem, e outras não. Para buscar essa resposta, a equipe analisou a carreira de um grupo de violinistas da Academia de Música de Berlim. Eles separaram os músicos em três grupos. No primeiro, colocaram as estrelas, ou seja, os violinistas reconhecidos em nível internacional. No segundo grupo, reuniram os que eram considerados apenas bons. Estes eram qualificados num nível pouco inferior ao primeiro grupo, mas eram profissionais experientes e com ótimo desempenho. No terceiro grupo, incluíram aqueles que nunca chegaram a tocar como profissionais, ou seja, aqueles que se tornaram professores de música. A equipe de pesquisa então realizou um minucioso levantamento para saber quanto tempo, por dia, cada um deles havia dedicado à prática do violino, ao longo da carreira.

A primeira conclusão que a equipe chegou foi de que todos os violinistas começaram a tocar mais ou menos na mesma época, em torno dos cinco anos de idade. Nessa fase inicial, praticavam por um tempo quase idêntico — duas a três horas por semana. Por volta dos oito anos, diferenças reais começaram a surgir. Os melhores, que compunham o primeiro grupo, passaram a se dedicar mais do que os outros: seis horas por semana aos nove anos; oito horas por semana aos doze; dezesseis horas por semana aos quatorze; e assim por diante. Aos vinte anos, praticavam — isto é, tocavam de forma compenetrada com o objetivo de melhorar — bem mais do que trinta horas semanais. Nessa idade, os músicos do primeiro grupo haviam totalizado dez mil horas de treinamento; os meramente bons, oito mil horas; e os professores de música, o último grupo, pouco mais de quatro mil horas. A conclusão óbvia é que a diferença nos resultados é diretamente proporcional ao tempo dedicado à prática ao longo dos anos.

Em seguida, Ericson e seus colegas realizaram a mesma análise com um grupo de pianistas. Ao comparar os pianistas amadores com os profissionais, identificaram um padrão idêntico ao encontrado nos violinistas. Os pianistas amadores não haviam praticado mais do que três horas por semana durante a infância, e, com o passar dos anos, mantiveram ou reduziram o tempo de prática. Os profissionais, por outro lado, foram aumentando o tempo de treinamento a cada ano até que, aos 20 anos, haviam alcançado, em média, o mesmo tempo de prática revelado no estudo com os violinistas, ou seja, dez mil horas. Mais uma vez, a conclusão foi clara: quando uma pessoa tem talento, ou capacidade suficiente para ingressar numa escola de alto nível, o que a distingue dos demais estudantes é seu grau de esforço. Em outras palavras, a conclusão que a equipe de pesquisa chegou, é que a diferença entre aqueles que alcançaram sucesso notório e os demais refletia um período de vida inteira de esforços deliberados para melhorar o desempenho em um domínio específico. Para se tornar uma estrela, por exemplo, tudo o que se precisa são dez mil horas de prática. Será que é somente isso? Até onde essa ideia se sustenta? Vamos colocá-la em xeque com um dos exemplos preferidos da corrente de estudiosos que se baseiam nesse estudo para negar o talento nato: Os Beatles.

O MILAGRE DE HAMBURGO

Os Beatles emergiram da banda Quarrymen, criada em março de 1956 por John Lennon e alguns colegas de aula da Quarry Bank Grammar School, de Liverpool, na Inglaterra. Lennon, na época, tinha 17 anos. Sua experiência com música era pequena. Ela se restringia a algumas noções rudimentares que lhe foram passadas pela própria mãe. No dia em que completou 15 anos, ele ganhou uma guitarra do seu tio. A partir daí, passou boa parte do tempo aprendendo a tocar o instrumento. Algum tempo depois, como qualquer estreante, começou a se apresentar em bares nos arredores de Liverpool.

Em 1957, num show no pátio de uma igreja, Ivan Vaughan, amigo de Lennon, convidou outro amigo, Paul McCartney, para ver a banda. Depois do show, Ivan apresentou McCartney ao grupo. McCartney, depois de conversar com os membros da banda, pegou a guitarra de Lennon, afinou as cordas (coisa que Lennon ainda não sabia fazer com eficiência), e tocou alguns acordes. O grupo ficou impressionado com a habilidade de McCartney. Dias depois, Lennon encontrou McCartney e perguntou se ele não queria fazer parte da Quarrymen. "Parece divertido", disse McCartney, que passou a integrá-la. George Harrison juntou-se a eles em março do ano seguinte. E por um longo tempo, a banda tocava nos bares e clubes de Liverpool. Observe que, até aqui, o processo que envolveu a formação dos Beatles não se distingue em nada do de milhares de bandas das quais você e eu nunca ouviremos falar. Mas vamos adiante.

Ao longo de 1959, a Quarrymen sofreu algumas mudanças. Com a entrada de McCartney e Harrison, os outros integrantes decidiram deixar a banda. Foi a extinção do Quarrymen. A nova banda, agora composta apenas por Lennon, McCartney e Harisson passou a se chamar Johnny & the Moondogs. No início de 1960, sentindo que a banda necessitava de um baixista, Lennon convenceu seu colega da escola de arte, Stuart Sutcliffe, que havia arranjado um bom dinheiro com a venda de uma tela que pintara, a comprar um baixo. Apesar de não saber tocar nada, Stuart adquiriu o instrumento e passou a integrar a banda. Allan Willians, um promotor de eventos e dono de um bar onde a banda tocava, começou a assessorar o grupo. Willians sugeriu que a banda contratasse um baterista e trocasse de nome. De uma ideia de Lennon e Stuart, surgiu, assim, The Beatles.

No ano de 1960, entretanto, tudo mudaria. Allan Willians, que agora era o empresário oficial da banda, conhecia um homem chamado Bruno Koschmider, proprietário de uma boate em Hamburgo, na Alemanha. Bruno precisava de bandas de rock para animar sua boate. Havia um detalhe, porém: o que Bruno chamava de boate eram, na verdade, casas de strip-tease. Hamburgo, na época, era um dos mais importantes centros portuários da Europa e atraía os mais diferentes tipos. Essas casas ofereciam um espetáculo ininterrupto. Era para esse ambiente de prostitutas, marinheiros, sexo e drogas, que Bruno buscava as bandas inglesas. Os Beatles concordaram em ir. Entre meados de 1960 e o final de 1962, a banda fez cinco excursões para Hamburgo.

Quando os Beatles deixaram Liverpool pela primeira vez, em 1960, eles eram considerados uma banda medíocre, meramente regular. Após o primeiro show em Hamburgo, Bruno, o proprietário da boate, estava desolado. "Se *rock' n' roll* é prá ser agitado, por que vocês ficam parados o tempo todo?", ele reclamava. "Façam um show, se mexam, dancem de acordo com o ritmo da música, ajam como se estivessem se divertindo", dizia. Os Beatles seguiram o conselho de Bruno. E quando retornaram para Liverpool, depois da primeira excursão, a mudança era visível. "Eles não eram disciplinados no palco antes de sair de Liverpool. No entanto, estavam tocando de um modo incomparável quando voltaram. Foi a formação deles", escreveu Philip Norman, autor da biografia do grupo. O próprio John Lennon reconheceu o papel fundamental que a experiência de Hamburgo teve na vida da banda. "Em Hamburgo, melhoramos e ficamos mais confiantes", ele disse, anos depois. "Isso foi inevitável com aquela experiência de tocar durante toda noite. Ter uma plateia estrangeira ajudou também. Precisávamos nos esforçar ao máximo, precisávamos colocar nosso coração e nossa alma naquilo, para podermos chegar até o fim".

Qual foi o milagre que aconteceu com os Beatles em Hamburgo? A resposta parece vir ao encontro da Teoria de Ericson, ou seja, o milagre foi o resultado das longas e incansáveis horas de prática. A primeira viagem que os Beatles fizeram a Hamburgo, em 1960, iniciou-se no dia 17 de agosto e terminou no dia 30 de novembro. Durante esse período, de cento e cinco dias, os Beatles fizeram cento e seis apresentações. Uma média superior a cinco horas em cada uma delas. Na segunda turnê, a banda ficou por lá durante noventa dias. Nesse período, fizeram noventa e dois shows, somando quinhentas e três horas no palco. Na terceira excursão, o grupo se apresentou quarenta e oito vezes, ficando cento e duas horas no palco. Os últimos dois espetáculos em Hamburgo, em novembro e dezembro de 1962, envolveram mais de noventa horas de exibição. Somando todas as apresentações realizadas apenas em Hamburgo, entre agosto de 1960 e dezembro de 1962, os Beatles tocaram duzentas e setenta noites, permanecendo em torno de 1.250 horas no palco.

Imagine o que isso representou em termos de desenvolvimento e lapidação do talento musical e artístico do grupo. Se os Beatles tivessem ficado em Liverpool, a história, talvez, teria sido outra. Em Liverpool, as apresentações do grupo eram raras e de apenas uma hora, em média. Nelas apresentavam apenas seus melhores números, e eram sempre os mesmos. Com as excursões para Hamburgo, a partir de meados de 1960, os Beatles vinham se apresentando cerca de quatrocentas vezes por ano — em média, mais de uma vez por dia. "Em Hamburgo, eles não aprenderam apenas a ter resistência — tiveram de aprender também uma quantidade imensa de números: versões cover de tudo o que você consiga imaginar, não apenas *rock' n' roll*, mas até mesmo jazz", escreveu Norman.

O QUE NINGUÉM EXPLICA SOBRE A TEORIA DAS 10 MIL HORAS

A essa altura, parece claro que se você busca o sucesso em qualquer área precisa inúmeras horas de dedicação no aperfeiçoamento do seu talento. O professor John R. Hayes, do departamento de psicologia da Universidade Carnegie-Mellon, chamou esse período de anos de silêncio. Assim como Ericson, Hayes também concluiu em seus estudos que praticamente todas as pessoas de sucesso passam por um longo período de silêncio antes da produção de trabalhos mais significativos. Em qualquer carreira, as atividades desenvolvidas durante esse período são de importância fundamental. É nesse período que essas pessoas constroem a fundação sobre a qual será desenvolvido o sucesso posterior. E isso, de fato, parece ser uma regra geral. Hayes, por exemplo, examinou com minúcia o trabalho de setenta e seis compositores de renome internacional. Das quinhentas composições musicais avaliadas, apenas três foram compostas antes dos dez anos de carreira do artista. E mesmo essas três, compostas no oitavo e nono anos.

Um exemplo prático: Mozart. Ele é considerado por muitos um gênio virtuoso que nasceu com a música nas veias. Mozart compunha música aos cinco anos. Fazia apresentações públicas, como pianista e violinista, aos oito. Ao falecer, aos trinta e cinco, havia composto uma centena de obras, muitas consideradas as melhores já produzidas. Com um sucesso tão prematuro parece ser difícil imaginar espaço para o que Hayes chama de anos de silêncio. Porém, apesar de ser venerado como uma criança prodígio, muitos críticos afirmam que Mozart produziu suas obras mais influentes somente depois de ter acumulado mais de vinte anos de prática. O psicólogo Michel Howe, por exemplo, afirma que as obras iniciais de Mozart, se considerados os padrões de compositores experientes, não possuem nada de excepcional. Além disso, diz-se que as primeiras peças atribuídas ao músico foram escritas pelo pai, e certamente aperfeiçoadas ao longo do processo. Entre os concertos que só contêm música original de Mozart, o primeiro considerado uma obra-prima só foi criado quando ele tinha vinte e um anos. "Àquela altura, Mozart vinha compondo concertos havia dez anos", escreve Howe.

Além dos compositores, John Hayes também analisou a vida de mais de cem pintores e comprovou o mesmo padrão detectado na dos compositores. Entre o início da carreira e o desenvolvimento de uma obra-prima, havia um período de cerca de seis anos. Aqui, outra vez, mesmo pintores mais precoces, como Pablo Picasso, se enquadram nesse padrão. Picasso começou a pintar sob a tutela de seu pai, que também era um pintor, por volta dos nove anos. Ele produziu seu primeiro trabalho notável somente depois dos quinze anos. O mesmo se sucede na poesia. Em sua tese de doutorado, a psicóloga Nina Wishbow analisou a vida de sessenta e seis poetas que possuíam pelo menos um poema incluído em antologias notáveis. A conclusão foi a mesma observada nos estudos anteriores. Nenhum poema notável foi escrito antes da primeira publicação do poeta ter completado cinco anos de trajetória. A maioria, cinquenta e cinco deles, precisou mais de dez anos até conseguir publicar algo notável.

O que acontece durante esse período chamado por Hayes de "Os anos de silêncio"? A resposta pode ser encontrada nas próprias palavras de Gisele Bündchen. Fazendo uma retrospectiva de sua carreira, em 1999, ela afirmou: "Tem uma parte da minha vida, dos 16 aos 20 anos, da qual eu não tenho muitas lembranças, a não ser as do avião, da mala e do trabalho". Os quatro anos de que Gisele fala são o espaço de tempo entre o início de sua carreira, outubro de 1994, até conquistar o Prêmio *Phytoervas*, em 1998. "Chegou uma época, quando estava com vinte e um anos, que eu falei: meu, eu estou exausta! Não tinha um tempo meu, era só trabalho. Eu parecia um trem que engatou uma quinta e foi!", ela disse. Entre 1998, ano em que foi lançada ao estrelato, até o final de 2002, Gisele ficou mais de treze mil horas diante de uma câmara fotográfica. Realizou seiscentos desfiles, vestiu quatro mil e oitocentos modelos de roupas, percorreu cerca de duzentos quilômetros — metade do percurso entre o Rio de Janeiro e São Paulo — nas passarelas.

Partindo de análises dos estudos feitos por Ericson e Hayes, inúmeros autores, como os americanos Malcolm Gladwell e Geoff Colvin, passaram a usar os resultados do estudo de Ericson e sua equipe, para desqualificar o talento como uma característica fundamental para atingir o sucesso, atribuindo um grau de quase absolutismo à prática. Esses autores, porém, incorrem num erro muito comum: eles confundem causa com consequência. Se a diferença nos resultados está no tempo de prática, a pergunta que eles não respondem é: o que define a decisão de algumas pessoas em praticar mais do que outras? Eles consideram os longos anos de prática como causa do sucesso, mas não percebem que os anos de silêncio, antes de uma causa, são uma consequência. Qual é o motivo, por exemplo, que faz com que, estranhamente, algumas pessoas, de modo sutil, passem a se dedicar menos, enquanto as outras, num sentido inverso, ampliem suas horas de dedicação? Será que a resposta a essa questão não é o talento?

O QUE, ENTÃO, ACONTECEU COM STUART SUTCLIFF?

Se a prática faz a diferença, o que faz com que algumas pessoas enfrentem o sacrifício de longos anos, enquanto outras desistem? Para entender essas diferenças, precisamos retomar o conceito da Lei da Tripla Convergência, que apresentei no capítulo 3, e analisar os três fatores que a compõem: talento, paixão e renda. Para definir um propósito que constitua o núcleo de nosso potencial, devemos compreender onde está nosso talento, qual a nossa paixão e o que estimula nossa ação. São esses três fatores que farão com que tenhamos persistência, ou não, para sobreviver os anos de silêncio. Lembre-se: o talento tem a ver com o potencial; enquanto a paixão e a renda, com a emoção.

Imagine um cenário onde o talento seria o veículo, a paixão, o combustível, e o estímulo, a estrada. Se você tem um veículo potente (talento) e uma estrada reta e pavimentada (renda), mas tem pouco ou nenhum combustível (paixão), não irá muito longe. Você precisa dos três componentes em perfeita harmonia para poder obter o melhor desempenho do seu veículo.

O talento, por si só, é incapaz de gerar o fôlego necessário para a determinação atravessar o que os anos de silêncio exige. A prática repetitiva, sem talento subjacente, satura as pessoas antes de elas obterem resultados satisfatórios. Por outro lado, melhorar em alguma atividade, mesmo que você tenha talento, requer persistência. Para resistir à tentação de relaxar, você precisa de combustível, de paixão. Você necessita, ainda, de um meio de onde possa tirar a energia que utilizará durante o processo de melhoria, e essa é a função do resultado prático. Além do talento, você precisa estar apaixonado pelo que faz e ter um estímulo para manter a paixão e o talento numa direção que desafie diariamente a zona de conforto. Em outras palavras, para sobreviver aos anos de silêncio, você precisa construir sua carreira no ponto exato onde os três fatores — talento, paixão e renda — convergem.

Para compreender como isso se aplica, vamos analisar o início da carreira de Bill Joy e Bill Gates. Bill Joy fundou a *Sun Microsystems*, responsável pelo aprimoramento dos programas *Java* e *Unix*. Joy é uma das pessoas mais influentes na trajetória moderna da computação. Frequentemente, é considerado o Thomas Edison da internet. Quando Joy ingressou na Universidade de Michigan, no início da década de 70, um computador era um monstro que custava cerca de US$ 1 milhão. Por isso, era raro. Quando alguém encontrava um, seu acesso era muito restrito e difícil. Joy havia escolhido a Universidade de Michigan para estudar matemática, mas foi seduzido pela computação. O local, na época, tinha um dos cursos de ciências da computação mais avançados do mundo. Mesmo assim, os programas de computador ainda eram criados em cartões de cartolina. As linhas de código eram marcadas com um perfurador. Programas complexos incluíam às vezes milhares de cartões. Quando um programa estava completo, o programador tinha de entregar os cartões perfurados a um operador que os executava.

Em função da raridade dos computadores, na maioria das vezes isso demorava dias. Ou seja, a programação em si era altamente tediosa. Mas não para Bill Joy, que tinha talento, paixão e estímulo. Ele descobriu, por um de seus colegas, uma forma de fraudar o controle de tempo no uso dos computadores. Sem limites de tempo, Joy passava as noites na sala de programação. "Em Michigan, eu passava de oito a dez horas por dia programando", ele lembra. Mais tarde, quando foi para Berkeley, fazia isso dia e noite. "Ficava acordado até duas ou três horas da madrugada assistindo a filmes antigos e programando. Essa trajetória durou cinco anos.

Com Bill Gates não foi muito diferente. Ele teve acesso ao primeiro computador em 1968, quando frequentava a oitava série. A partir de então, sua vida passou a girar em torno da computação. "Era minha obsessão. Eu faltava às aulas de educação física. Passava as noites diante de um computador. Trabalhava com programação nos fins de semana", ele contou mais tarde. Entre quinze e dezesseis anos, uma época em que a maioria de seus colegas apenas sonhava com computadores, Bill fazia qualquer coisa, legal ou ilegal, para acessar um computador. "Houve um episódio em que Paul Allen (que mais tarde se tornou sócio de Gates) e eu nos encrencamos por roubar uma série de senhas e derrubar o sistema. Fomos punidos. Não pude usar o computador durante todo o verão", ele confessou anos depois. Mas ele não se entregou. Dias depois, descobriu um computador que poderia ser usado de graça na Universidade de Washington. "Eles tinham essas máquinas no centro médico e no departamento de física. Ficavam ligadas 24 horas, mas sempre estavam ocupadas, exceto no horário entre as três e seis horas da madrugada", Bill Gates lembra. Gates dormia até as duas e pouco, levantava, saía de casa escondido e ia a pé, ou de ônibus, até a universidade. Dava um jeito de conseguir um computador vago e ficava mexendo nele até os alunos chegarem e ocuparem as máquinas outra vez. Ele ia para casa dormir até a hora de ir para a escola.

É indiscutível que tanto Joy como Gates possuíam talento para a informática. Mas não foi o talento sozinho que os tornou tão excepcionais. É preciso paixão e estímulo para acordar de madrugada e se deslocar até uma universidade distante para poder usar um computador por algumas horas, e depois voltar para casa e dormir novamente. Em outras palavras, tanto Joy como Gates identificaram seu talento e transformaram-no numa habilidade por meio do esforço. Ambos investiram na construção e no desenvolvimento de conhecimento específico pelo uso de técnicas. Além disso, tiveram a determinação necessária para suportar um longo período de prática.

Tanto para Joy como para Gates, a computação foi o ponto de convergência do seu talento, paixão e renda. A intersecção desses três fatores não lhe dá apenas o caráter de *tenho que fazer isso*, mas também a sensação de *eu gosto de fazer isso*. Essa parece ser a história por detrás de cada pessoa que pode ser considerada genial. Imagine Bill Gates em sua adolescência: levantando de madrugada, saindo discretamente de casa para ir mexer nos computadores de uma universidade. Parece não haver nada de genial, além da dedicação. Esse processo, agir, aprender, aperfeiçoar, por mais desajeitado que muitas vezes possa ser, é a essência da vida realmente produtiva. É um processo que lhe pede para ser corajoso, perspicaz, e, acima de tudo, perseguir seu sonho incansavelmente, a despeito das inúmeras influências que tentam afastá-lo deles.

Sob todos os pontos de vista, não há possibilidade de imaginar que Bill Gates fez o que fez ao longo da adolescência apenas para se tornar mais tarde um magnata da computação. Seu estímulo era outro e, com toda certeza, involuntário. A força que impulsiona as pessoas, como no caso de Gates, a levantar de madrugada e fugir de casa para mexer nos computadores da universidade é um magnetismo que vai muito além da fama ou do retorno financeiro. Esse magnetismo vem de dentro, da necessidade de aprimorar o talento. O impulso de atuar sobre o talento e a paixão é mais intenso do que qualquer recompensa externa, como reconhecimento, dinheiro ou fama. Por isso, se quisermos viver uma vida plena de sucesso e felicidade, é para esse apelo interior que devemos dar atenção.

Quando atuamos dentro da Lei da Tripla Convergência, há um fluxo de energia forte e, por mais pesado e intenso que a prática seja, nosso cérebro dispara uma sensação de prazer e satisfação que nos estimula cada vez mais. Foi essa sensação que permitiu a Lennon, McCartney e Harrison suportar doze horas de apresentações diárias em Hamburgo, e, ainda por cima, sair satisfeitos de lá. Mas considere Stuart Sutcliff, o amigo que Lennon convenceu a comprar um baixo com o dinheiro que havia recebido com a venda de uma tela para integrar a banda. O que aconteceu com ele? Ele seguiu com a banda para Hamburgo. No entanto, em agosto de 1961, reclamando cansaço e falta de motivação, largou o grupo e voltou a se dedicar à pintura. Nas intermináveis noitadas de doze horas nas boates de Hamburgo, Lennon, Harrison e Mc Cartney desenvolviam seu talento. Para Stuart, no entanto, a prática excessiva, fora do campo das suas habilidades, drenou a energia, fazendo com que ele desistisse da banda. Seu talento e paixão eram outros. Hoje, apesar da sua morte prematura, ele é tão lembrado pela sua arte quanto pela participação nos Beatles.

Essa é a diferença básica entre a prática dentro duma tarefa estabelecida sobre os três fatores da Lei da Tripla Convergência e outra que não se baseia neles. Em suma, é o que faz com que algumas pessoas superem longos anos de prática e outras, não. A dedicação só funciona se você tem talento, paixão e estímulo pelo que faz. Sem esses três ingredientes, a dedicação torna-se penosa demais. Se sua paixão e estímulo não tem como base seu talento, por mais que o treinamento seja bem concebido, seus movimentos continuarão convulsos e desconexos. Você pratica sem parar, mas a ação parece artificial e insatisfatória. Nesse caso, será cada vez mais difícil decidir-se a tentar de novo. Você fica irritado, confuso e, algum dia, irá se recusar em continuar.

Um exemplo bem claro desse processo está na história das irmãs Polgar, analisada no Capítulo 1. Embora a prática as tenha tornado boas profissionais no xadrez, elas nunca conquistaram o título máximo e desistiram muito cedo de suas carreiras. Elas tinham alguns ingredientes necessários para o desenvolvimento, mas lhes faltavam outros. Esse fator também responde a uma questão importante feita no início do livro. Por que pessoas ao nosso redor exercem a mesma atividade durante anos sem melhorar? Elas não constroem sua profissão sobre seu talento natural. A prática lhes dá consideráveis avanços no início de sua carreira. Depois, tendo alcançado o limite de suas habilidades, estagnaram num determinado patamar. Uma vez que atingiram o limite desse patamar, mais anos de trabalho não os tornarão melhores.

OS ANOS DE SILÊNCIO

Não importa o tamanho de seu conhecimento, da sua inteligência, do seu carisma: o talento, como qualquer ação da natureza, precisa de um estágio para se desenvolver. Da mesma forma como não se pode apressar o amadurecimento de uma fruta sem afetar seu sabor, o talento também precisa de um estágio de amadurecimento.

Ao longo do livro, analisamos uma série de histórias de pessoas que perseguiram seu talento e alcançaram resultados extraordinários. Em todas elas, de Elizabeth Gibson, que seguindo seu instinto, salvou do lixo uma tela de um milhão de dólares, passando por Madre Teresa de Calcutá, Sylvester Stallone, Barack Obama, Gisele Bündchen e companhias como a Toyota-Lexus, Southwest Airlines e Walmart; há um traço em comum: o longo, lento e gradativo desenvolvimento do potencial. Stallone, por exemplo, não acordou certa manhã como um ator famoso. Ao contrário, ele começou por conta própria, indo de porta em porta, de agência em agência, em busca de uma oportunidade. Muitas vezes, retornou à mesma agência mais de uma dezena de vezes, sem a mínima esperança de sucesso. De tanto avaliar o papel de certos atores, ele se familiarizou com os roteiros de filmes. Na tentativa de descobrir uma forma de desenvolver seu talento, e tratar a abordagem de maneira mais inteligente, ele passou também a escrever roteiros. Ele concentrou todos os seus recursos e esforços, ao longo de quase dez anos, para desenvolver um talento que no início parecia frágil.

Esse estágio, os anos de silêncio, é quase sempre um período longo, de solidão, onde só você acredita no que está fazendo. Por isso, ao longo desses anos, você precisa ser seu próprio estímulo, precisa se alimentar com suas próprias crenças, sua própria energia. E isso só será possível se você tiver a chama de um talento natural ardendo dentro de você. Os anos de silêncio representam, basicamente, as primeiras milhas da jornada. Um período onde aprendemos a dar os primeiros passos, onde temos tempo para cair e se levantar tantas vezes quanto for necessário, e, dessa forma, aprender a conviver com a ideia do sucesso sem que sejamos enfeitiçados por ela. O processo é simples: você começa pela fé de que possui um talento, descobre esse talento, cria um propósito fundamentado nos princípios da Lei da Tripla Convergência, depois, ao longo dos anos de silêncio, ajusta suas convicções, desenvolve um estado mental coerente com o sucesso, amadurece a cada dia um pouco mais, até perceber que esse é o princípio natural da vida. A partir de então, a vida flui de forma natural.

Se for simples assim, por que tão poucas pessoas seguem esse processo? Porque a forma como queremos desenvolver nosso talento é outra. Queremos que tudo esteja numa linha reta, que as coisas aconteçam de maneira clara e segura, desde o princípio. Mas, raramente, isso é possível. As pessoas de sucesso, ao contrário, constroem uma visão clara do que querem, mantêm o foco nisso e seguem adiante. Dizer a Gisele que ela tinha um nariz muito grande não afetou sua autoestima. Ela apenas tratou isso como uma informação e usou-a para estudar os comandos dos fotógrafos. Dizer a Stallone que ele tinha cara de bobo levou-o a focar-se nos papéis onde ele pudesse usar sua fisionomia de maneira apropriada. O "não" de inúmeras editoras aos textos de Elizabeth Gilbert fez com que ela escrevesse, viajasse e desenvolvesse seu talento de uma maneira totalmente incomum. Tanto Stallone quanto Elizabeth perceberam seu talento, mas também compreenderam que ele precisava ser desenvolvido, aperfeiçoado e adequado. E fizeram isso, ao longo de infindáveis anos de prática.

Se estivermos no caminho certo, as circunstâncias externas, na verdade, interessam pouco. Quanto maior a resistência externa, maior será nosso fortalecimento interno. Isso quer dizer que, se ficamos mais tempo atrelados a uma situação que não contribui no início com nossa jornada, o retorno virá em vantagens mais à frente. Particularmente, lembro os meus anos de silêncio, onde ouço o Valdir Bündchen dizendo: "Jacob, vamos treinar com argolas de aço nos tornozelos. Mais tarde, quando retirarmos as argolas, enquanto os outros correrem, nós voaremos". Essa prática, porém, não se resume à simples repetição de uma tarefa. Ela segue um processo por meio do qual desenvolvemos nosso talento ao usar conhecimento específico e técnica.

OS TRÊS ESTÁGIOS DA PRÁTICA DELIBERADA

O desenvolvimento da prática deliberada segue um processo idêntico para todas as pessoas. Para entender melhor esse processo, imagine três círculos concêntricos. Vamos chamar o círculo interno de *zona de conforto*; o do meio, *zona de aprendizagem*; e o externo, *zona do medo*. Esses círculos representam a evolução do conhecimento por meio da prática deliberada. Ela se desenvolve em três estágios, definidos como inicial, intermediário e final. No capítulo 4, sobre as três regras da primeira milha, — *crie imunidade à rejeição*; *entenda o paradoxo da apatia* e *evite o erro da rejeição* —, eu disse que a maioria das pessoas desiste antes de concluir a primeira milha. Também analisei os principais erros cometidos pelas pessoas no início do processo de desenvolvimento de seu talento, e o motivo que as leva a desistir. Por que a primeira milha é tão importante?

CÍRCULO 1: ESTÁGIO INICIAL DA PRÁTICA DELIBERADA

A primeira milha representa o círculo acima. No início de nossa jornada, mesmo quando dotados de um talento extraordinário, não temos conhecimento nem técnica. Estamos numa zona de conforto estreita, a zona de conhecimento também é pequena. Com pouco conhecimento e sem o domínio de técnicas que permitam a execução do talento, o medo do desconhecido domina a maior parte do nosso círculo. Considere o exemplo de Gisele: no início da carreira ela não tinha conhecimento nem técnica. A única coisa com a qual ela realmente podia contar era seu talento, sua paixão pelo trabalho e o estímulo produzido pela necessidade de desenvolver esse talento. A zona de conforto, onde ela se sentia bem, no entanto, era muito estreita. Ela se restringia a sua família, suas colegas de aula e, talvez, a segurança que ela obtinha do seu talento. Ao decidir desenvolvê-lo, ela teve de romper com toda a zona de conforto e mergulhar num mundo completamente desconhecido em busca de técnica e conhecimento. É por isso que a primeira milha é tão crucial; ela representa o estágio onde somos arrancados da zona de conforto e lançados diretamente para a zona do medo. Essa atitude exige muito esforço.

CÍRCULO 2: ESTÁGIO INTERMEDIÁRIO DA PRÁTICA DELIBERADA

Uma vez lançados na zona do medo, nossa tendência é retornar para a zona de conforto. Muitos de nós fazemos exatamente isso, o que impede o nosso crescimento. No entanto, se permanecermos na zona do medo o tempo suficiente, iremos adquirir conhecimento e desenvolver técnicas que permitam a manifestação do nosso potencial. Esse processo ampliará a zona de conhecimento e, ao mesmo tempo, a zona de conforto. Por outro lado, a zona do medo começa a se encolher. A essa altura, estamos no segundo estágio, chamado de intermediário. Na carreira de Gisele, esse estágio representa os primeiros contratos. Ela já superou a fase dos "nãos", mas sua carreira ainda não está consolidada.

Nesse período da carreira, estamos mais confiantes, a pleno vapor. A paixão pela carreira nos impulsiona constantemente a buscar coisas novas.

Sentimo-nos seguros e confortáveis com a profissão e queremos ousar. Passamos a viver a maior parte do tempo na margem entre a zona do conhecimento e a zona do medo. É provável que oscilemos constantemente entre a zona de aprendizagem e a zona do medo. É nessa margem que está a aventura, a adrenalina, o desafio que impulsiona as pessoas de sucesso. Lentamente, a prática deliberada vai reforçando cada vez mais a zona de conhecimento e ampliando a zona do conforto.

No terceiro e último estágio, a zona do conhecimento se amplia e se confunde com a própria zona do medo. A carreira cria dimensões sólidas.

CÍRCULO 3: ESTÁGIO FINAL DA PRÁTICA DELIBERADA

Anular a zona do medo, alcançando o terceiro estágio, é a única coisa que nos torna livres. Mas esse anular só é possível quando temos um propósito claro em nossa mente. Ao contrário, quando não temos um propósito claro, vivemos na margem entre a zona de conforto e a zona de aprendizagem, sem desafiar a zona do medo. Nesse estágio, aprendemos coisas novas todos os dias, mas é um conhecimento sem objetivo específico, que não é canalizado para um determinado fim, e, por isso, não se torna uma ferramenta na conquista da zona do medo. Quando permanecemos entre a zona de conforto e a de aprendizagem, desenvolvemos apenas parte do nosso potencial, e o resultado também será parcial. Sem um propósito claro, toda prática, mesmo que esteja embasada sobre talento e paixão, será apenas um hobby. O progresso só é possível quando definimos um propósito que provoca uma imersão profunda e intensa na zona do medo. É nela onde passamos os anos de silêncio, desenvolvendo nosso talento, através da prática deliberada.

O PONTO FINAL DA QUESTÃO

Se olharmos de perto a origem e formação dos Beatles, e de outras pessoas reconhecidamente talentosas e geniais, podemos alterar de forma drástica as convicções que formam nosso ponto de vista sobre sucesso, talento e realização pessoal. Olhar de perto como essas pessoas desenvolveram sua genialidade é compreender que todos os seres humanos nascem com a mesma capacidade; que não existe injustiça na natureza. Se você compreender isso, com a mudança mais sutil, na direção certa, poderá mudar muita coisa. As pessoas que alcançam sucesso extraordinário não são favorecidas pela natureza, elas decidem, de maneira deliberada, seguir um caminho natural. Se olharmos para o mundo a nossa volta, ele talvez pareça um lugar misterioso, incompreensível, implacável e injusto, onde uns nascem com privilégios e vantagens que outros nunca poderiam sonhar em alcançar. Mas ele não é. O universo é justo e imparcial. O que precisamos compreender é que ele tem seus próprios princípios, que são imutáveis, infalíveis e iguais para todos. Se quisermos usufruir desses princípios, precisamos dar uma oportunidade para que eles possam se revelar a nós, e nos conduzir, via intuição, até onde o impulso natural insiste em nos levar. Precisamos passar a aceitar o óbvio.

Nós temos, porém, uma tendência instintiva de desdenhar de processos lentos. Não costumamos ter tolerância para esse tipo de desenvolvimento. Existe algo em nós que diz que se não avançamos a certa velocidade é por que não temos os requisitos necessários. Outro problema é a tendência de avançar por atalhos, e, com isso, tentar provar, a nós mesmos e aos outros, a nossa capacidade. Tentamos, a todo custo, encurtar caminhos, ignorar as etapas naturais do processo de amadurecimento. Essas duas falsas convicções nos impedem de desenvolver nosso talento, mesmo após detectá-lo e sentir o impulso de desenvolvê-lo. Há limites abruptos sobre a quantidade de esforço e tempo que decidimos investir sem obter retorno. Decidimos desistir antes. Saltamos do barco na primeira turbulência, enquanto ainda é possível ver a praia. O que vimos por meio dos exemplos e dos estudos analisados nesse livro, no entanto, é o oposto. Todas as pessoas que realizaram coisas memoráveis, que se tornaram marcos na história da humanidade, passaram por um longo período do processo de evolução. Pensar que as coisas caem do céu para alguns, enquanto outros, independentemente do quanto se dedicam, nunca atingirão nada além da mediocridade, é um erro. Se quisermos tirar proveito das nossas habilidades, precisamos remodelar essa forma de pensar. Sylvester Stallone, Elizabeth Gilbert e Gisele Bündchen, como tantos outros, obtiveram sucesso porque avançaram no escuro. Quem teria adivinhado que Stallone conseguiria entrar no cinema através da estreita porta de roteirista? Ou quem poderia ter predito que o fim do casamento, a renúncia à segurança que Elizabeth Gilbert ajudou a criar para si mesma, durante mais de uma década, lhe traria a paz e o conforto que ela procurava?

Ignorar a zona do medo e se acomodar na estreita zona do conforto do estágio inicial, visto no item anterior, é uma expressão do nosso peculiar desejo e necessidade de segurança. Há, em nossa mente, sob certo aspecto, um muro que separa aquilo que consideramos seguro daquilo que nos parece inseguro. Uma crença de que o sucesso e o talento deveriam nos dar exatamente a segurança que buscamos. De que o caminho para o sucesso deveria ser reto, iluminado e bem sinalizado. Mas ele não é. Ele é nebuloso, cheio de curvas, imprevistos e sem sinalização alguma. Na verdade, ele precisa ser criado a partir da nossa intuição. Precisamos, a exemplo das pessoas que analisamos ao longo desse livro, derrubar o muro mental que separa tudo o que pensamos ser inseguro.

Precisamos nos libertar da convicção de que as pessoas de sucesso possuem mais talento, mais inteligência, que elas nasceram com um brilho superior ao nosso. Warren Buffett está certo: na origem, não há diferença entre as pessoas que alcançam o sucesso daquelas que não. A diferença está apenas na forma de agir ao longo da vida. As pessoas que desenvolvem seu talento não são diferentes de nós. Elas apenas agem de uma forma diferente. Enquanto nós temos a falsa convicção de que a segurança resulta da compreensão sistêmica de cada passo que damos, e de que cada esforço precisa ser altamente recompensado de forma imediata, essas pessoas desafiam seu senso de segurança e deliberadamente testam seus medos. Elas compreendem que todo esforço inicial se paga em forma de crescimento e expansão interior. Sem os palpiteiros que disseram a Gisele que seu nariz era muito grande para ser modelo, que seu jeito de caminhar era estranho, sem os oito meses de "nãos" que testaram sua persistência, ela certamente não seria quem ela é.

Em outras palavras, muito mais do que o resultado da compreensão de determinados princípios simples, mas que se refletem de maneira decisiva na forma que agimos e que reagimos aos desafios impostos pelas circunstâncias externas e por nós mesmos.

AGRADECIMENTOS

O ÓBVIO QUE IGNORAMOS **NASCEU MUITO** antes de aparecer no papel. Ao longo de toda minha vida, tive a alegria de conviver com pessoas maravilhosas que me ensinaram muito além do necessário para ser feliz. Sem elas, não seria quem hoje sou. Na minha adolescência, uma das minhas maiores influências foi o professor Alfredo Backes. Quando eu não tinha acesso à biblioteca, era ele quem fazia os livros chegarem até mim. Certamente, ele nunca saberá o quanto lhe sou grato por isso.

Ainda no topo da lista, estão os professores Luis Alles, Aloísio Ruedel, Remi Schorn e Ramão Hilgert, que foram a minha influência acadêmica. Geniais na árdua tarefa de dosar um pouco a minha eufórica paixão com a racionalidade da lógica filosófica. Sem eles, não teria sido capaz de seguir os caminhos da investigação científica, maior sentido da minha vida. Rafael Backes, Milton Gerhardt e Fábio Dal Pai foram grandes colegas e exemplos nessa árdua tarefa.

E no meio de tantos grandes, Gilmar Ost foi um gigante. Suas atitudes foram essenciais na minha carreira literária. Desde minhas primeiras aspirações como escritor, Jean Marcel Petry tem me inspirado com sua energia e inteligência. O mundo seria muito melhor se existissem mais pessoas como eles.

Ao me mudar para os Estados Unidos, por um desses inexplicáveis desejos do universo, conheci Willian Tonini. Ele foi o primeiro gênio real na minha vida e, se não existisse nenhum argumento que provasse o talento nato, Willian, por si só, seria prova suficiente para por um ponto final na questão. Em longos passeios por Nova York ou mesmo pelo interior de Nova Jersey, nasceram muitas questões abordadas nesse livro. Hoje, ele vive em Londres, com sua esposa e filho. Sem sua companhia, escrever tornou-se um dos poucos meios de compensar tamanha ausência.

Na fase que envolveu a gênese desse livro, Diana Lopes, Leila Tavares, Everton Maciel, Nice Richter e Paulo Heitor Fernandes foram essenciais. Suas observações na leitura dos primeiros rascunhos deram solidez e concretude ao fundamento do livro. Fábio Rodrigo Lasta foi eficiente e eficaz como só os campeões sabem ser. Patrícia Kolling, Morgana Jeske de Oliveira, Jairo Borges Madril, Lina Mischaelski, Afonso Wobeto, Nery Taborda da Silva, Marcos Silva, Carlos Nasi e Alcides Vicini, cada um do seu jeito, foram imprescindíveis ao longo dessa jornada.

No que diz respeito ao livro, dois nomes, porém, se distinguem de todos: Paulo Ricardo Barbosa e Pedro Almeida. Escrever simplesmente não seria possível sem pessoas especiais como eles. Paulo foi imbatível na missão de questionar, debater e dissecar, durante longas madrugadas, cada um dos conceitos abordados nesse livro. Pedro Almeida, por sua vez, começou como meu *coach*, mas terminou como meu ídolo. Não é por menos: ele foi meu conselheiro, aliado, professor e amigo, e isso é muito mais do que qualquer escritor pode querer de outro profissional da área.

Por fim, sou profundamente grato à família Bündchen, principalmente ao Valdir, que ao longo de quase duas décadas de convivência, me contagiou com a energia do sucesso e da felicidade. Incansável como só os grandes mestres sabem ser, com generosas doses de paciência e sabedoria, sem dúvida, ele moldou o que há de melhor em mim.

Por tudo isso, dizer que a autoria desse livro é minha é muito mais uma questão formal do que a realidade em si. Obrigado a todos vocês. No entanto a parte mais importante nesse próximo é você, leitor. Obrigado por partilhar comigo essa experiência fascinante de compreender melhor o mundo e seus enigmas mais obscuros. Gostaria muito de ouvir sua opinião, que pode ser enviada por e-mail para jacob.petry@gmail.com, ou através doo site www.jacobpetry.com.

NOTAS

O relato da entrevista de Paulo Francis com Gisele Bündchen está em reportagem de Jorge Pontual e João Luiz Vieira. A reportagem foi publicada na revista *Época*, Editora Globo, na edição do dia 21 de junho de 1999.

CAPÍTULO 1: O SEGREDO POR DETRÁS DA BELEZA

Carol Vogel escreveu sobre a história de Elizabeth Gibson e o quadro *Tres Personajens* no *The New York Times*, na edição do dia 23 de outubro de 2007.

A história de Barack Obama está nos livros do próprio Barack Obama: *Change We Can Believe In: Barack Obama's Plan to Renew America's Promise* (Nova York: Three Rivers Press, 2008), *The Audacity of Hope* (Nova York: Three Rivers Press, 2006), *Dreams from My Father* (Nova York: Crown Publishing, 1995).

Gisele Bündchen falou sobre sua infância na revista *Vanity Fair*, na edição número 525, de maio de 2009.

As opiniões de Steven Meisel, Bob Wolfenson e Donatella Versace sobre o trabalho de Gisele foram inicialmente publicadas na revista *Veja*, na edição 1.626, de 1º de dezembro de 1999.

A história do Lazslóv Polgar está no artigo *The Grandmaster Experiment* de Carlin Flora, na *Psychology Today Magazine*, na edição bimensal de julho e agosto de 2005. Geoff Colvin também citou a história no livro *Desafiando o talento — mitos e verdades sobre o sucesso* (São Paulo: Editora Globo, 2009), p. 100 a 103.

Uma completa explicação sobre o conceito de talento pode ser encontrada no livro *Descubra seus pontos fortes*, de Marcus Buckingham e Donald O. Clifton. (Rio de Janeiro: Editora Sextante, RJ, 2006).

Os conceitos sobre o desenvolvimento do cérebro e o papel das sinapses na formação cognitiva humana estão no livro *The myth of the first three years*, de John Bruer (Nova York: The Free Press, 1999). As citações são das páginas 75, 68,76, 89.

As citações e conceitos de Valdir Bündchen constantes desse capítulo e no restante do livro, em parte, foram extraídos do seu livro *Como Construir a si mesmo* (Porto Alegre: Editora AGE, 1997), e, em parte, concedidas pessoalmente ao autor.

CAPÍTULO 2: A SÍNDROME DO EXCESSO DE OPORTUNIDADES

A história completa de Viktor Frankl, os horrores e humilhações sofridas nos campos de concentração nazista, estão na sua autobiografia *Men's search for Meaning* (Boston: Beacon Press, 2006) As citações são da p. 33.

Para obter mais detalhes sobre a experiência realizada por Philip Zimbardo e equipe, consulte o texto de Philip Zimbardo, Craig Haney e Curtis Banks, *Interpersonal Dynamics in a simulated prison*, publicado em 1973, na página 73, do *International Journal of Criminology and penology*. Malcolm Gladwell também abordou o estudo no livro *O ponto da virada* (Rio de janeiro: Sextante, 2009), p. 148 a 150.

O estudo de Eldar Shafir e Amos Tversky foi publicado no artigo *The disjunction effect in choice under uncertainty*, da *Psycholgical Science 3*, no ano de 1992.

A narrativa de Herbert Kelleher e sua receita de como administrar a *Southwest Airlines* foi originalmente contada por James Carville e Paul Bengala no livro *Buck Up, Suck Up, and come back when you foul up* (New York: Simon& Schuster, 2002). Foi recontada pelos irmãos Chip e Dan Heath no livro *Ideias que colam* (Rio de Janeiro: Editora Campus, 2007), p. 26 e 27.

Para obter mais detalhes sobre a teoria de Stephen R. Covey, consultar o Hábito 2, *Comece com o objetivo em mente*, do livro *Os 7 hábitos das pessoas altamente eficazes*.(Rio de janeiro: Best Seller, 2007). As citações são da p. 120.

Os cuidados necessários na hora de estabelecer uma meta foi abordada por Ram Charan no livro *Know How* (New York: Crown Publishing Group, 2007).

Lou Marinoff escreveu sobre a relação entre propósito e significado no livro *Mais platão, menos prozac*. (Rio de Janeiro: editora Record, 2002). As citações são da página 253.

Os inúmeros estudos realizados por Mark Dadds e sua equipe junto ao departamento de psicologia da Universidade New South Wales, de Sidney, Austrália, podem ser encontrados no site pessoal de Dadds, em http://www2.psy.unsw.edu.au/Users/Mdadds/

Fernando Morais escreveu *O Mago* (São Paulo: Planeta, 2009). As citações de Morais foram extraídas da entrevista concedida pelo autor para Luciano Araujo, publicada na revista *Último Segundo*, na edição do dia 31 de maio de 2009.

A teoria da Síndrome do Excesso de Oportunidades originalmente foi defendida por Jim Collins, no livro *Good to Great* (Nova York: Harper Collins, 2001). Collins afirma que o fato de uma circunstância ser uma oportunidade única na vida não tem importância alguma se ela não está alinhada com o propósito central da empresa, ou mesmo da pessoa. A tese foi detalhada por Collins no capítulo 5, *The Hedgehog Concept*, do seu livro.

Parte das análises sobre as consequências do discurso de John Kennedy no desenvolvimento cultural dos Estados Unidos a partir de 1960 foi abordada por Thomas Friedman no seu livro *The World is Flat* (Nova York: Picador, 2007). Recolhi as citações das p. 376 a 379.

CAPÍTULO 3: O PRINCÍPIO DA TRIPLA CONVERGÊNCIA

Solomon Asch descreve a experiência sobre o poder da influência externa nas nossas decisões no texto *Opinios on Social Pressure*, publicado no livro *Readings about the Social Animal*, editado por Joshua e Elliot Aronson (New York: Worth Publishers, 2008). O texto se encontra nas p. 17 a 26.

Elizabeth Gilbert conta a história da sua vida em *Eat, Pray, Love — One woman's search for everything across Italy, India and Indonesia* (Nova York: Penguin Books, 2006). As citações e comentários sobre sua carreira de escritora estão no texto *Some Thoughts on writing*, publicado no site pessoal da autora.

A ideia original do conceito dos três círculos foi inspirada no livro *Good to Great*, de Jim Collins (Nova York: Harper Collins, 2001). Collins desenvolve um conceito sobre os três elementos chaves para o sucesso de uma empresa: paixão, renda e aquilo no qual a empresa pode ser a melhor no mundo, no capítulo 5 do seu livro.

A comparação da trajetória das três varejistas Walmart, Target e Sears foi feita originalmente por Ram Charan, e está no livro *Know-How*(New York: Crown Bussines, 2007), p. 27 a 29. A citação de Alan Lacy foi extraída da mesma obra e está na p.. 29.

Mônica Monteiro fala sobre a fase inicial da carreira de Gisele Bündchen em matéria de Fernanda Cirenza, publicada na *Marie Claire*, da Editora Globo, na edição de número 133, abril de 2002.

CAPÍTULO 4: AS TRÊS REGRAS DA PRIMEIRA MILHA

A história de Sylvester Stallone está no site pessoal do ator, www. sylvesterstallone.com. Chris Nashawaty conta outros detalhes da carreira de Stallone no artigo *The Right Hook*, publicado na revista *EW.Com*, na edição do dia 19 de fevereiro de 2002. As citações de Winkler e Chartoff foram extraídas desse artigo.

Gisele Bündchen contou a história do assalto no metrô de São Paulo numa reportagem de Gisele Vitória e Daniele Mendes, da revista *IstoÉ Gente*, na edição de 30 de julho de 2001. Outras citações de Gisele feitas nesse capítulo foram extraídas de reportagem da revista inglesa *Vanity Fair*, publicada na edição de maio de 2009.

Os resultados do estudo de Marco Antonio De Tommaso foram inicialmente publicados em entrevista concedida por De Tommaso a Raquel Verano, em matéria publicada na revista *Veja*, edição 1.668, no dia 27 de setembro de 2000, assinada por Bel Moherdaui. Detalhes também podem ser conferidos em www.tommaso.psc.br

A história de Albert Einstein está em *Einstein: His life and universe*, de Walter Isaacson (Nova York: Simon & Schuster, 2007). As citações foram extraídas das páginas 31, 34 e 35, respectivamente. Michael Howe analisou a carreira de Einstein no livro *Genius Explained* (Cambridge: Cambridge University, 1999). Citei informações das p. 130 a 156.

Para obter uma ideia mais detalhada sobre como funciona o Princípio de Pareto, recomendo o livro de Richard Koch, *O princípio 80/20, o segredo de se fazer mais com menos* (Rio de Janeiro: Editora Rocco, 2000). As dificuldades de lidar com progressões como o Princípio de Pareto foi analisado por Malcolm Gladwell, no seu livro *O ponto da virada* (Rio de janeiro: Sextante, 2009), p. 25.

A jornalista americana Peggy Noonan escreveu o artigo *A Combatant In The World,* no qual analisou o discurso de Madre Teresa de Calcutá no *National Prayer Breakfast,* realizado em fevereiro de 1994. O artigo foi publicado na revista *Time* do dia 15 de setembro de 1997.

As cartas de Madre Teresa de Calcutá nas quais revela sua crise espiritual foram publicadas por Brian Kolodiejchuk, no livro *Madre Teresa: venha, seja minha luz* (Rio de Janeiro: Thomas Nelson Brasil, 2008).

A experiência de Jane Elliot, realizada na escolha de ensino fundamental de Riceville, Iowa, Estados Unidos, está no ensaio *Blue-Eyes, Brown-Eyes: The Experiment that Shocked the Nation and Turned a Town Against its Most Famous Daughter*, de Stephen Bloom, publicado na revista *Smithsonian*, edição de setembro de 2005.

Costanza Pascolato e Mylli Lacombe desenvolveram uma pesquisa intensa em que analisam a trajetória das principais modelos brasileiras no Brasil e no exterior no livro *Como ser uma modelo de sucesso* (São Paulo: Editora Jaboticaba, 2004). Costanza faz a analogia entre a exposição da imagem e do corpo das modelos a uma peça de roupa na vitrine.

A citação de Lya Luft está na página 26 do seu livro *Perdas & Ganhos*, (Rio de Janeiro: Record, 2004).

CAPÍTULO 5 : A LIÇÃO DE DELFOS

A biografia mais completa de Kurt Cobain está no livro de Charles R. Cross, intitulado *Mais pesado que o céu — uma biografia de Kurt Cobain* (São Paulo: Editora Globo, 2002). Ao longo de quatro anos, Cross realizou mais de quatrocentas entrevistas e teve livre acesso a diários, letras e fotos do cantor. Nas mais de 400 páginas do livro, Cross reconstitui a infância de Cobain, a ascensão meteórica e sua conturbada relação com Courtney Love.

A análise da Teoria da Cognição de Santiago, elaborada pelos cientistas Humberto Maturana e Francisco Varella, está no livro *A teia da vida*, de Fritjof Capra (São Paulo: Editora Cultrix, 1997).

O estudo de Dan Ariely, sobre os sites de relacionamento, está no livro de Steven Levitt e Stephen J. Dubner, *Freakonomics — O Lado Oculto e Inesperado de Tudo que nos Afeta* (Rio de Janeiro: editora Campus, 2005).

Geralmente a frase que compunha a inscrição frontal do Templo de Apolo é conhecida apenas como "conheça-te a ti mesmo". A complementação foi tirada do livro de James Ray, *Harmonic Wealth*, (Nova York: Hyperion, 2008). Na pág 133, Ray afirma: *"The inscription over the Oracle of Delphi in ancient Greece once read: "Know thyself". Obliterated by time and known only to a select few, was the rest of that inscription; and you will posses the keys to the Universe and the secrets of the gods".*

A ideia original sobre o filtro mental, abordada no item 4, foi inspirada em parte pelo livro de Marcus Buckingham, *Primeiro quebre todas as regras* (Rio de Janeiro: Editora Campus, 1999)

As citações de Monica Monteiro foram publicadas inicialmente em reportagem da revista *Marie Claire*, edição 133, de abril de 2002, assinada por Fernanda Cirenza.

Dados mais específicos sobre o Estudo do Perfil Pessoal, de Valdir Bündchen, podem ser obtidos em seus livros *Como Construir a Si Mesmo*, (Porto Alegre: AGE, 1998) e *Garimpo & lapidação* (Porto Alegre: AGE, 2009)

Gisele Bündchen contou a história do início de seu namoro com Tom Brady em reportagem da revista *Vanity Far*, edição de maio de 2009. As citações de Gisele do item 6 são da mesma fonte.

CAPÍTULO 6: O PARADOXO DA INTELIGÊNCIA

Existem inúmeros artigos e livros que analisam a série de disputas entre Garry Kasparov e o Deep Blue. A IBM mantém uma cobertura completa desses jogos num site exclusivo. O endereço é www.research.ibm.com.

O episódio no desfile da Victoria's Secret envolvendo a modelo Gisele Bündchen e ativistas da organização *People for the Ethical Treatment of Animals* (Pessoas pelo Tratamento Ético dos Animais), a Peta, está em reportagem da revista *Veja*, edição 1.779, do dia 27 de novembro de 2002, assinada por Anna Paula Buchalla e Paula Neiva.

O estudo de Lewis Terman é analisado minuciosamente por Joel Shurkin em *Terman's Kids — The groudbreaking study of how the gifted grow up* (Nova York:Little Brown, 1992). A citação de Terman foi extraída da p. 3 da mesma obra. A avaliação crítica dos resultados obtidos por Terman está no artigo de Gretchen Kreuter, *The Vanishing Genius: Lewis Terman and the Stanford Study*, publicado originalmente na revista *History of Education Quarterly*, em março de 1962,e pode ser acessado em www.jstor.org

O sociólogo russo Pitirim Sorokin fez uma análise da experiência de Terman no seu livro *Fads and foibles in modern sociology and related science.* (Chicago: Henry Regnery, 1956).

Os estudos realizados em Harvard e em Michigan foram citados e analisados por Daniel Goleman no capítulo 3 do seu livro *Inteligência Emocional* (Rio de Janeiro: editora Objetiva, 1995). George Vaillant escreveu um livro sobre seu estudo com 95 acadêmicos de Harvard chamado *Adaptation to life* (Boston: Little, Brown, 1977).

O resultado do estudo de Carol Dweck, para avaliar os diferentes tipos de convicção sobre a inteligência e os reflexos que essa convicção causa numa eventual derrota, está no artigo *Beliefs that make smart people dumb*, publicado no livro *Why smart people can be so stupid*, editado por Robert J. Sternber (New Haven: Yale University, 2002) p. 24 a 39.

Para conhecer a *Teoria das Inteligências Múltiplas* veja o livro de Howard Gardner, *Five minds for the future* (Boston: Harvard Business School Press, 2007).

A citação de Howard Gardner foi extraída do livro de Daniel Goleman, *Inteligência Emocional* (Rio de Janeiro: editora Objetiva, 1995), p. 37

Daniel Goleman defende a ideia de que o QI contribui apenas com cerca de 20% entre os fatores que determinam o sucesso no seu livro *Inteligência social — O poder oculto das relações humanas* (Rio de Janeiro: Editora Campus, 2006)

A citação de Clement Markert foi extraída do livro *Clone: Os caminhos para Dolly*, de Gina Kolata (Rio de Janeiro: ed. Campus, 1998), p. 102

Elizabeth Gilbert conta como se tornou escritora no artigo *Some Thoughts on writing*, publicado no site pessoal da autora. www.elizabethgilbert.com.

Robert Hagstrom escreveu o livro *The Warren Buffett Way* (Hoboken: Wiley, 2005). No livro, Hagstrom faz uma análise completa e profunda sobre as principais características de Buffett e como ele desenvolveu sua fortuna. As citações usadas no capítulo foram extraídas deste livro.

CAPÍTULO 7: O PODER DAS CONVICÇÕES

A experiência de Joshua Bell na estação de metrô L'Enfant está no artigo de Gene Weingarten *Pearls Before Breakfast*, publicado no *Washington Post Magazine*, no dia 8 de abril de 2007. Monique Cardoso escreveu sobre Joshua Bell no caderno Cultura, do *Jornal do Brasil*, na edição do dia 19 de maio de 2009. Sandra Passarinho abordou a carreira do violinista no *Jornal da Globo*, na edição do dia 18 de junho de 2009.

A história de Barry Marshall e seu colega Robin Warren foi extraída do artigo de Barry Marshall intitulado *Helicobacter Connections,* publicado pelo NHMRC Heliobacter Pylori Research Laboratory, de Nedlands, Austrália, no dia 8 de dezembro de 2005.

Dan Ariely faz uma análise do desafio da Pepsi no livro *Predictably Irrational* (Nova York: HarperCollins, 2008). Recolhi informações da p. 166.

Malcolm Gladwell escreveu sobre a cultura da honra no livro *Fora de série* (Rio de Janeiro: Sextante, 2008) David Hackett Fischer escreveu o livro *Albion's Seed: Four British Folkways in América* (Oxford: Oxford University Press, 1989).

O estudo de Charles Gettys está no livro de Chip e Dan Heath, *Ideias que colam* (Rio de Janeiro: Editora Campus, 2007)

Os dados da pesquisa da Gallup citados no item 7 podem ser conferidos no site da Gallup, em www.gallup.com

CAPÍTULO 8: FOCO, TEMPO E O PROBLEMA DO SENTIDO

A história do Lexus, desde a assembléia que deu origem à ideia até os lançamentos mais recentes, está no livro de Jonathan Mahler, *The lexus Story*

(Nova York: DK Publishing, inc, 2004). Detalhes sobre a concepção da linha de automóveis de luxo da Toyota também podem ser obtidos no site da companhia, em www2.toyota.co.jp

Malcolm Gladwell aborda a quantidade de espaço em nosso cérebro para distintos tipos de informação no livro *O ponto da virada* (Rio de janeiro: Sextante, 2009), p.170

George Loewenstein, Deborah Small e Jeff Strnad analisaram os motivos pelos quais as pessoas são estimuladas a fazer doações quando elas sabem quem estão ajudando no artigo *Statistical, Identifiable and Iconic Victims and perpetrators,* (Março de 2005). Stanford Law and Economics Olin Working Paper N. 301.

A entrevista de Gisele Bündchen com Elen Degeneres foi ao ar pela NBC, no The Ellen Degeneres Show, no dia 12 de janeiro de 2006.

Parte das citações de Valdir Bündchen foram extraídas do seu livro *Como construir a si mesmo* (Porto Alegre: AGE, 1998). Outras, principalmente a parte relativa ao Projeto 5, foi abordado nos inúmeros contatos que tive pessoalmente com Valdir, ao longo de mais de 15 anos de convívio.

O jornal inglês *The Daily Mirror* publicou ampla matéria sobre o vício de Kate Moss em cocaína em matéria publicada no dia 15 de setembro de 2005, com o título *Exclusive: Cocaine Kate*. A matéria é assinada por Stephen Moyes.

A prisão de Naomi Campbell no aeroporto em Londres foi noticiada no *Times*, no dia 4 de abril de 2008. O veículo também cita, na mesma matéria, os demais escândalos citados no livro.

A citação de Gisele Bündchen sobre a felicidade foi extraída da revista *Vanity Far*, na edição número 525, de maio de 2009.

CAPÍTULO 9: O EFEITO PIGMALEÃO

Existem inúmeras publicações sobre o episódio da Coca-Cola contaminada na Bélgica. Basicamente, usei como base os arquivos da cobertura realizada pela BBC de Londres. O estudo de Bem Nemery foi extraído do artigo *Coke scare blamed on mass hysteria,* divulgado pela BBC, na edição do dia 2 de julho de 1999.

Maxwell Maltz fala sobre as experiências envolvendo a cirurgia plástica e seus efeitos psicológicos no livro *Psycho-Cybernetics* (Nova York: Pocket Books, 1960)

O título O Efeito Pigmaleão foi inspirado no estudo dos psicólogos americanos Robert Rosenthal e Leonore Jacobson, baseado no livro *Pygmalion in the classroom* (Nova York: Irvington Publishers, 1992)

A história de Joseph Kennedy foi extraída do livro de Thomas Maier, *The Kennedys: America's Emerald Kings* (Nova York: Basic Books, 2003). As citações de Valdir Bündchen foram concedidas ao autor.

Existem inúmeros livros que abordam a lei da atração. Uma das mais conhecidas é o livro *O segredo*, de Rhonda Byrne, publicado recentemente. Mas existem versões mais antigas como *The Strangest Secret*, de Earl Nightingale; *As a Man Thinketh*, de James Allen; *Your Invisible Power*, de Genevieve Behrend; *Thought Vibration or the Law of Attraction in the Thought world*, de William W. Atkinson; *Pense e Enriqueça*, de Napoleon Hill e *A ciência de ficar rico*, de Wallace Wattles.

A orientação de Robert Kennedy para Arnold Schwarzennegger, sobre manter a coisa simples, foi extraída da reportagem *Life of tragedies, legacy of service*, por David Espo, publicada no jornal americano *Star-Ledger*, na edição do dia 27 de agosto de 2009.

O estudo realizado na Universidade de Minnesota, por Mark Snyder, Elizabeth Decker Tanke e Ellen Berscheid, chamado: *Social Perception and Interpersonal Behavior: On the Sefl-Fulfilling Nature of Social Stereotypes*, foi publicado no *Journal of Personality and Social Psychology*, vol.35, 1977, p. 656 a 666.

Os professors Thomas Stanley e William Danko escreveram *The Millionaire Mind* (Kansas City: Andrews McMeel Books, 2001). As citações e a história de Thomas Mann e David Schwartz estão no mesmo livro.

Os estudos de Charles R. Snyder foram extraídos de dois artigos: *"Conceptualizing, Measuring, and Nurturing Hope"*, do Journal of Counseling and Development, 1995, p. 355 a360; e "Hope and Optimism", publicado na Encyclopedia of Human Behavior, Vol. 2, Academic Press, 1994, págs. 535 a 542.

CAPÍTULO 10 : OS ANOS DE SILÊNCIO

Para conferir detalhes da história e formação dos Beatles e seus integrantes, leia o livro *Shout!*, de Philip Norman (Nova York: Fireside, 2003). As citações de Norman utilizadas nesse capítulo foram todas extraídas dessa obra.

A experiência com os músicos na Academia de Música de Berlim foi publicada por K. Anderson Ericsson, Ralf Th Krampe e Clemens Tesch-Römer, no artigo intitulado *The Role of Deliberate Practice in the Acquisition of Expert performance*, no jornal *Psychological Review 100*, número 3, publicado pela American Psychological Association, Inc, no ano de 1993, p. 363 a 406.

A análise das horas de prática no início da carreira dos Beatles é discutida por Robert W. Weisberg, *Creativity and Knowledge: A challenge to Theories*, em *Handbook of Creativity*, org. por Robert J. Sternberg (Nova York: Cambridge University Press, 1999) A citação de Weisberg é da p. 233.

A citação de John Lennon sobre a evolução da banda ao longo das temporadas em Hamburgo está na p. 122 do livro *Hamburg Days* (Surrey: Genesis Publications, 1999), organizado por Klaus Voormann e Nicholas Roylance, junto com George Harrison e Astrid Kirchherr.

A teoria de John R. Hayes está em *Handbook of Creativity*, org. por Robert J. Sternberg (Nova York: Cambridge University Press, 1999) p. 230 a 233.

Michael Howe analisou a carreira de Mozart no livro Genius Explained (Cambridge: Cambridge University Press, 1999). A citação é da p. 3.

A citação de Gisele Bündchen é de matéria da revista *Caras*, edição 794, ano 16 — Número 4).

O levantamento sobre as horas e a quantidade de desfiles realizados por Gisele está na reportagem de Anna Paula Buchalla e Paula Neiva, da revista *Veja*, na edição do dia 27 de novembro de 2002.

Marcus Buckingham e Donald O. Clifton fazem uma análise completa sobre a pesquisa do Instituto Gallup no livro *Descubra seus pontos fortes* (Rio de Janeiro: Sextante, 2008). As citações são das p. 67, 68 e 69.

Malcolm Gladwell conta a história de Bill Joy e Bill Gates em *Outliers* (Rio de Janeiro: Sextante, 2008), p. 39 a 67. A citação de Joy está na p. 49; a de Bill Gates, na 55.

Para a história completa sobre os primeiros anos do contato de Bill Gates com a computação, leia *Gates — How Microsoft's Mogul Reinvented an Industry and made Himself the Richest Man in América*, de Stephen Manes e Paul Andrews (Nova York: Touchstone, 1994). Retirei informações dos capítulos Um, Dois, Três e Quatro.

A citação é de R. W. Weisberg. Foi extraída do artigo *Creativity and Knowledge: A challenge to Theories*, do livro *Handbook of Creativity*, editado por

Robert J. Sternberg (Nova York: Cambridge University Press, 1999). Foi retirada da p. 233.

A ideia das três zonas de conhecimento foi inspirada na teoria de Noel Tichy, citada por Geoff Colvin, no livro *Desafiando o talento — mitos e verdades sobre o sucesso* (São Paulo: Editora Globo, 2009). Colvin faz referência a Tichy e as três zonas de conhecimento na p. 92.

ESTE LIVRO FOI COMPOSTO
EM DANTE E DYNASTY PARA A LEYA
EM JUNHO DE 2010.